ヒストリカル・
ブランディング

脱コモディティ化の地域ブランド論

久保健治

角川新書

はじめに――コモディティ化が進む世界

コモディティ化が進む世界

みんなに気に入られたい。しかし、そう思われようと相手に合わせて努力するほど、本当の自分がなくなってしまう。そして、名前を思い出すこともできない何かに似ていると言われる。まるで何かの映画やドラマのようだが、これは作り話ではない。毎日の買い物、観光地、都市などあらゆる所で起きていることだ。

あらゆる企業が他社よりも魅力的な商品やサービスを提供するために、マーケティングへ莫大（ばくだい）な資金や労力を投入している。魅力的だと思った新商品が出る。しかし、しばらくすると、その商品と似たようなものが並んでいることは少なくない。こうなると、当初は新鮮で魅力的だった商品は、その他大勢と同じになる。この現象は商品だけではなく、あらゆる分野に広がっている。このように他と差別化されておらず、代替可能なものになることをコモディティ化という。

コモディティとは、もともと日用品を指す。そこから転じて、マーケティングの世界では「代替可能なもの」という意味を持つ。そして、コモディティ化とは「あるものが他と代替可能な状態になること」をいう。

コモディティ化の最大の問題は「徹底的に買い叩かれる」ことだ（瀧本哲史、二〇一二）。代替可能な商品ならば、消費者にとって違いは「値段」のみとなる。それはビジネスにおいては利益率の低下を招く一方で、競合企業も含めた果てしない安値競争を激化させ、会社経営を苦しめることになる。特に、中小企業にとって、安値競争は資本力の勝負になるので、大企業に勝てるわけがなく、致命的な現象といえる。

コモディティ化が生み出される理由は様々であるが、近年ではそのスピードと圧力はより強くなっている。モノやサービスが溢れすぎた結果、機能面による差別化はすぐに模倣され、あっという間に顧客には理解できないような小さな差になる。さらに現代のマーケティングは先端的なコンピューター技術や統計学なども駆使されるようになり、より科学的になってきている。同じような商材ならば、誰が調査しても「美味しい市場」は同じになる。売れる商品を作ろうとするほど、全員が同じような商品を作ってしまい、結果コモディティ化して売れなくなるという「マーケティングのジレンマ」が発生する。

現代では、多くの商品やサービスがコモディティ化していると言われているが、それは本来オリジナル性を有していたはずの地域にすら拡大している。「そんなことはない、地域はオリジナルだ」。こう思う人も多いだろう。もちろん、本来はオリジナルである。しかし、他人から見た時に同じように見えてしまうことは多い。全国各地のパンフレットを並べてみたとしよう。地名を隠したとして、表紙だけでパッと分かる地域はどのくらいあるだろうか。

自然はかけがえのないものだが、観光客の目線では違いが分からない。最先端のファッションビルを作ったら、他地域とは差別化できるだろう。ただし、隣の地域がより新しいものを作るまでの間だけだ。新しくできた商業施設に通っていたものの、さらに立派な別の商業施設が隣町にできたために行かなくなってしまった、という経験は多くの人が持っているだろう。つまり、本来オリジナルなものであっても、売り方や表現の仕方で顧客から見た時にはコモディティに見えてしまうのである。

（註（ちゅう）：瀧本（たきもと）（二〇一二）は、人もコモディティ化していると表現しているが、ここで説明したことと同じ構造だといえよう。人は誰一人同じ人はいないオリジナルだが、市場の中ではコモディティと認識されてしまうことがある）

このように、流行に乗るだけではコモディティ化への道を進むだけとなる。例えば、流行っているからという理由だけで実施される、地域とは縁もゆかりもないものとのコラボイベント。これらは起爆剤として一時的な意味があっても、単にやるだけでは、地域の独自性を強化するどころか失わせてしまうことすらある。

では、なぜこのような地域のコモディティ化が進んでいるのだろうか。その背景には激しい地域間競争がある。急速に進む少子高齢化を背景にして、地域は人口減少に歯止めがかからず、地域の産業や生活などの基盤になっていた、これまでの前提が崩れはじめている。その課題を解決するために、地域は人々から選ばれるための熾烈な競争を実施している。

だが、この地域間競争の熾烈化は必ずしも独自志向にはならなかった。むしろ、多くの地域が他地域に勝つために必死になってマス受けする施策を行った結果、各地域が全員同じ市場を狙って行動したのだ。ネット等の動きもあり、成功事例は一瞬で模倣され、「マーケティングのジレンマ」を引き起こし、新しかったはずの取り組みは、全国どこでもやっているものとなった。

一生懸命考えた独自アイデアが資本力のある地域や企業によって、より予算を投入した立派なものとして実現されてしまうことはよく聞く話である。他地域が模倣できない方法でなければ、長期的な差別化は実現できない。どこかの成功事例を単に真似た横並びの施策では、あっという間にコモディティ化する。

ならば、どうすればコモディティ化という問題を克服できるのか。解決策として、ビジネス分野で注目されたのがブランドである。マーケティング学者の小林哲によれば、ブランドとは「特定の製品を他と異なるものとして識別するための名称や言葉、デザイン、シンボルまたはその他の特徴」であり、その効力は「類似した製品の中でこそ、最大の効力を発揮する」とされる。ブランドは脱コモディティ化を実現する有効な手段だ。そして、地域においても近年ブランドが急速に注目されている（小林哲、二〇一六）。

「勝つための競争」ではなく、「負けないための競争」へ

それでは、なぜ地域はブランドという方法でコモディティ化を克服すべきなのだろうか。他地域に模倣されるような施策であっても、他地域に勝てばよい。何より、短期間で成果が出るならそれでよいではないか、と考えることもできる。経営学的に言えば、このような発想も確かにありだ。ただし、この発想でいくと最終的に勝者は一人しか存在しなくな

る。なぜなら、「儲かる」という同じ価値観で競争しているからだ。言い換えれば、全員が同じ経済的価値観で競争している。

現在の地域間競争は、まさにこれである。この構造は分かりやすいが、優劣と格差を明確化するため、究極的な勝者は一人になるのだ。

一方で、ブランドが志向するものは、この競争概念とは異なる。なぜなら、ブランドとは新たな価値基準の構築、すなわち分類差異を競うものだからだ。成功したブランドとは、他と単純に比較できない価値を持つことに他ならない。「一番いい曲はなに？」と聞かれた時に、音楽好きの人であれば「どのジャンルで？」と聞きたくなるだろう。パソコンに詳しい人なら「パソコンって何がいい？」と聞かれたら、「どんな用途で使いたいの？」と聞きたくなるだろう。それらは、単純比較できない価値観を有したブランドが複数存在しているからである。

こうしたブランドは、他と違う価値を持っていることで顧客に求められる存在になっている。

例えば、私には近所で良く通っている喫茶店がある。この喫茶店は個人経営であり、当然大きくない。近所のグローバル展開しているチェーンカフェと比べれば、売り上げでは圧倒的に優劣はついており、今後も勝つことはできないだろう。だが、常連に支えられて二〇年以上経営が続いており、少なくとも私はお客がいない時を見たことがない。その店はグローバルチェーンには出せない価値を提供しており、それを良いと思う顧客に支え続けられていることで、事業継続に必要な売り上げを着実に上げている。つまり、提供価値の点では負けていないのだ。

競争というと最近ではマイナスのイメージが強く、格差を拡大する側面から批判されている。だが、このように競争概念は経営学的にはもっと広いものだ。小林（二〇一六）は競争について次のように指摘している。

「競争には、同じ価値基準上の優劣差異を競うものだけではなく、新たな価値基準の構築すなわち分類差異を競うものが存在する。前者が勝ち負けが明確になるという意味で『勝つための競争』だとすると、後者は勝敗が決するのを回避できることから『負けないための競争』とみなすことができる。

そして、地域ブランドが目指すのは、後者の負けないための競争である」

ブランドの創出に取り組むとは、「勝つための競争」ではなく、「負けないための競争」への転換を行うということだ。どの地域が一番儲けられるのかという経済的競争から、ある価値観に基づいた時にはどの地域が一番いいのかという、価値的競争へと転換していくのである。もちろん、それを支える重要因子として経済は存在しているが、それは目的ではなく手段にすぎない。この点については、本書で詳しく説明する。

では、どのようにすれば地域ブランドを成功させられるのか。方法は一つではなく、無数にあるが、地域において最も注目されているものの一つが歴史である。今や、観光や地方創生分野において歴史的資源の活用という言葉は必ず出てくる。皆さんの中にも、実践している人も多いだろう。なぜコモディティ化を解決する方法になるのだろうか。言い換えれば、なぜ差別化を実現する方法として歴史の活用が重要なのだろうか。それは、次の一言で表現することができる。

歴史は模倣できない。

歴史を活用するにはブランディングが必要だ

類似性はあるかもしれないが、全く同じ歴史を持つ地域は存在しない。完全にオリジナルである。後述するが、歴史が加わることで見た目だけでは違いが分からないものに独自性が付与される。だが、この歴史「活用」はそんなに簡単なことではない。

もし、あなたが手っ取り早く短期間で金銭的に儲かる方法に興味があるのならば、本書はその期待にはまったく応えられない。しかし、時間はかかっても良いので、一〇〇年後にも残る地域になりたいと思うなら、是非読んでほしい。歴史が大きな武器になることを実感できるはずだ。

ここで、本書におけるブランドとブランディングという用語について整理しよう。ブランドは、あくまで製品等に付与された識別記号であるのに対して、ブランディングとはこの識別記号の有するさまざまな機能を利用して、付与対象の価値を高める効果である。すなわち、脱コモディティを実現するためには、ブランドの確立と、ブランド効果を活用して価値を高めるブランディング、両方が必要だ。ブランドは創って終わりではなく、常に価値を高め続けるための活動を伴う終わりなき旅である。つまり、ブランディングとは点ではなく、運動そのものなのだ。

こうした歴史に基づくブランディングを私はヒストリカル・ブランディングと呼んでおり、その研究と実践を続けてきた。本書ではヒストリカル・ブランディングについて事例と理論を往復しながら紹介する。私自身が理論と現場を往復することが重要だと思っているからだ。現場は一つとして同じものはなく、それぞれ個別解ともいえるものだが、それを読み解くためには理論が必要だ。

様々な文献を引用するが、既に記載しているように、本文において（久保健治、二〇二二）といった形で記載する。例えば、上記の場合であれば巻末の参考文献における二〇二一年の久保論文から引用していることを指す。

また、専門的には地域ブランドは地域そのものである地域空間と、地域にある産品・サービスといった地域商品の相互作用によって構築されていくものである（小林、二〇一六）。だが、本書は一般書であるため、学術的に厳密な形よりも読者の理解しやすさを優先し、地域空間視点の実践例、地域商品視点の実践例といった形で分けて紹介する。実際には、どちらかだけではなく、相互作用によって地域ブランドが構築されていく点は注意していただきたい。

本書の構成は、大きく三つに分類できる。

第一部では、観光を中心にして地域空間そのものをブランドとした実践と、その理論的背景を論じる。第二部では、商品やサービス開発を中心にした実践と理論的背景を取り上げる。その上で、歴史とは真逆にすら思えるイノベーションが、歴史から生み出されている実践事例などを紹介し、ヒストリカル・ブランディングの可能性について論じる。

そして終章では、ブランディングが「勝つための競争」から「負けないための競争」へと転換を促すことができるメカニズムを説明し、地域や企業（特に地方中小企業）の強みを活かす経営について論じる。

それでは、早速ヒストリカル・ブランディングの現場へと旅立とう。

目次

第一部　観光によるヒストリカル・ブランディング

北海道小樽の象徴である小樽運河

ユネスコ無形文化
遺産の千葉県佐原
の大祭

第一章　保存 vs. 開発を超える——北海道小樽運河

北海道で起きた事象は、日本でこれから起こることの前触れ

「あれ、臭くない」

私が、小樽(おたる)運河の変化を感じた瞬間の記憶だ。

両親が共に小樽出身であったので、幼少期には夏と年末年始に帰省していた。東京に生まれ育った私にとって、運河の風景は近所では見られないものであり、祖母の家に戻ってきたと感じる風景だった。ただ、幼少期の頃、運河はとても良い風景ではあるものの、臭(にお)いが強いものだったのだ。ところがある時、臭いが消えた事に気づいた。運河から臭いが

消えたタイミングは、小樽が急速に観光地となっていった記憶と重なっており、帰るたびにまちが変化していることを強烈に感じさせた。いわば、私は幼少期に小樽というまちを定点観測していたともいえる。

小樽に帰ると定番のコースがあった。母親に連れられて「あまとう」でクリームぜんざいを食べ、北一硝子を見に行き、運河を歩く。夕飯には「なると」で若鶏を食べ、最後は花園にあった祖母の家に帰宅する。このコースを必ず巡っていたが、帰省するたびに、どんどん人は増えていき、運河は綺麗になっていった。

祖母が亡くなってから、定期的に帰ることはなくなったが、親戚の法事や仕事の出張で北海道へ行くたびに、私は小樽に立ち寄った。近年では、運河周辺の整備はさらに進んでおり、大きく変貌している。しかし、運河を見ると、記憶の風景は今でも甦る。運河は、私の中にある小樽の過去と現在の姿を繋ぐ存在だ。私は運河を基準に小樽というまちの変化を見つめていた。それは誰かに教わったわけでもなく、無意識にそうしていたのである。言い換えれば、運河を小樽の象徴として捉えていた。毎年のように風景が変わっても、私は運河を見ることで、このまちを小樽である、と認識していたのだ。

これが私個人の体験だけではなかったことは、観光地としての小樽の成功が物語っている。つまり、小樽運河はブランドなのだ。けれども、運河がブランドになったというのは、不思議な現象でもある。運河はそもそも先天的に小樽に存在したものでもなければ、観光資源として造成されたものでもない。日常生活の中で使われていた経済施設だったのである。それが、なぜブランドになったのか。

この問いは、小樽の問題にとどまらない。全国各地で観光地化を目指す地域に共通する問題点を含んでおり、その解決策も示されているのだ。特に北海道は「日本の縮図たり得る」地域であり、「北海道で起きた事象は、日本でこれから起こることの前触れと見ることができる」（瀧本、二〇一五）とすら言われている。開拓民によって形成されたために、文化的に様々な背景の人によって構成されていること。また、札幌への一極集中化が進み、それ以外の周辺都市、郊外、農村部、山間部といった「地域」が疲弊していることがあげられる。特に後者の構造は、まさに日本における東京の一極集中と地域の関係に類似している。

小樽は、国政における札幌一極集中施策を契機にしてまちが斜陽化していった。そこから、観光地として札幌という経済都市とは違う方法で甦ったまちだ。まさに、いまの地方創生と同じ文脈である。

小樽の問題を紐解くためには、施設としての運河を見るだけでは不十分だ。見た目だけなら、似たような施設は全国に存在している。ブランドとは他と区別できる「何か」なのだから、小樽にとって運河が他地域と区別できる論理を解明しなくてはならない。それには、一見遠回りに見えるが、小樽の特徴と、その中で運河がどのような存在だったのかを見なくてはならない。それを教えてくれるのが小樽の歴史である。

小樽というまちの誕生から、小樽運河を巡る変遷の歴史を紐解きながらブランド化の理由を探ってみよう。小樽運河とその町並み保存については、運動論、環境問題、景観といった分野で既に数多くの研究があるが、ここではあくまでブランドという視点から考えてみたい。

北のウォール街から斜陽のまちへ

現在の北海道経済は札幌一極集中となっているが、かつての小樽は間違いなく北海道最大の経済都市であった。これは大きな意味をもっている。法政大学教授の堀川三郎の研究（堀川三郎、二〇一八）を基にして、小樽誕生から運河を核にした観光地化までの歴史を追いかけてみよう。

江戸時代の小樽は多くの北前船が入り、アイヌとの交渉も可能な交易拠点だった。北方警備や樺太開発のために幕府が小樽を直轄するようになった後、一八六五年（元治二）、小樽はアイヌ語の「オタルナイ」（砂浜の中の川という意味）を語源として誕生し、一八六九年（明治二）、現在の「小樽」へと名前が変わる。

名称変更と共に、札幌への開拓使本府設置もあり、一交易場所に過ぎなかった小樽は「札幌の外港」として位置付けられ、運輸を一手に引き受けることになる。そして、道内の物資集散や石炭の積み出し港として発展していく。一八八〇年（明治一三）には鉄道が開設されたが、この鉄道敷設は道内初どころか、全国でも三番目であった。このことは、明治政府と開拓使が小樽をどう位置付けていたかを象徴している。

さらに、樺太の領有や第一次世界大戦によるヨーロッパ市場の混迷といった外部要因を追い風にして絶頂期を迎える。一九〇六年（明治三九）の日本銀行営業報告を見ると、小樽を称して「北海道中第一の要港」と記載しているが、実際、ヨーロッパ市場の混迷時には、一時小樽がヨーロッパの相場を左右しているとまでいわれた。日本銀行小樽支店をはじめ、全部で一九行が集まり、一九一六年（大正五）には、小樽地区の銀行預金総額の対全道構成比率は函館を抜いてトップとなる。この運河港湾経済を支える銀行群は、北のウオール街と呼ばれた。小樽は北海道経済の中心に躍り出たのである。

こうした繁栄を盤石にしていくために、艀(はしけ)と労働者を活用した荷役システムをより強化する必要があった。その最重要課題の一つが運河だった。運河の建築については、完成までに三度にわたる政争が存在したと言われており、決してスムーズではなかった。結果的に、約二〇年の月日を要したが、市制を敷いた翌年の一九二三年（大正一二）に小樽運河が竣工(しゅんこう)。しかし、そのころには時代の変化が迫っていた。

一九二四年（大正一三）に青函(せいかん)連絡船航路が開設される。これが、小樽経済衰退化の序曲のひとつであった（豊島、一九八六）。時代は、大型船舶が直接接岸してクレーンで積荷を降ろしていく埠頭(ふとう)岸壁式荷役へと変化していた。それは、小樽運河を基本とする荷役システムが時代遅れになりつつあることを示していたのだ。

さらに、統制物資の統括を行う機関が設置されることで、経済的主導権が札幌に移った。統制品目の扱いが組合に任されることも重なり、小樽の多くの卸売商が大打撃を受けた。こうした政治的な変化に加えて、小樽経済が大幅に依存していた石炭移送が石油に変化したこと、海運流通ルートの変化による小樽港の地位低下、ニシン漁の不振といった各種要因が重なり、「斜陽のまち」と呼ばれるようになっていく。

日本全体が高度経済成長に沸いていた時期に小樽は衰退していった。一九六七年以降、食品、繊維商社、都市銀行の撤退が集中的に起こる。これを受けて、小樽市当局は市経済の再活性化に向けて本格的に動く。それは、新しい流通に対応した都市計画の推進であった。目玉は港湾の近代化である。

具体的には、六車線の幹線道路を作り、トラック物流化に最適化すること。その道路を作る方法として運河の埋め立てが計画された。流通の効率化を目指すために作られた運河が、流通の効率化を妨げる象徴的な遺物となったのは、何とも皮肉なことである。

この方法は当時の都市政策や道路行政では定石であり、実は乱暴なやり方ではなかった。市の側からすれば、運河の埋め立ては「運河荷役から埠頭荷役＋トラック物流への転換」を意味する工事である。新しい時代になったことを受け止め、自らの都市構造を時代に合わせて大きく改変することを目指した、とも言い換えられる。つまり、運河の埋め立ては港湾商業都市小樽の復活を象徴する事業だった。

だが、工事が運河南端にさしかかった時、市民の中から反対の声が上がり始める。具体的には、ギザギザ屋根の独特の景観で親しまれていた有幌（ありほろ）倉庫群が取り壊された一九七三年、小樽運河を守る会が結成され、保存運動が開始されることとなった。新しい時代に向けて、「斜陽のまち」を復活させる経済施策としては合理的でもあった運河の埋め立てに、なぜ人々は反対したのだろうか。

保存派と埋め立て派の論争

「運河を埋めたら小樽が小樽でなくなってしまう」

反対の理由は、この一言に凝縮されている。堀川（二〇一八）は、埋め立てを巡る運動時期を一九六七年から八四年としており、「運河戦争」期と名付けている。結論を先に言えば、この時期の運動論は大きく二つの時期に区分されており、「凍結保存から〝まちづくり〟」に運動の性質が大きく変化している。それこそが、観光地小樽への大きなターニングポイントになったのである。小樽運河の保存とは、小樽というまちの未来をどうするのかという方針を巡る論争でもあった。

保存運動の初期目的は「運河の全面保存」であった。堀川（二〇一八）は「変化に抵抗する論理は、『文化財であるから』だった」、と端的にまとめている。実際に、運動によって、当時の文化庁文化財保護部建造物課から「文化遺産として価値は高い」という言質（げんち）をとることにも成功。だが、衰退はすべての人々が共有するところであり、経済的課題は最優先事項であった。全面保存では、この課題に効果的な解決策を生み出すことはできない。結果として、「運河ではメシは食えない」ということから、初期の保存運動は経済界からも多くの市民からも支持を得ることができなかった。行政は決定事項という手続き論で対抗し、両者の議論は平行線となる。その後、守る会は事務局長の辞職や会長の自殺といったセンセーショナルな事件が起きると共に、経済界からのしめつけにより中心メンバーが脱落。大きな危機を迎えた。

こうした保存派と埋め立て派の論争に目を向けると、両者は同じ運河を見ながらも、まったく異なる解釈をしていたことが浮き彫りになる。堀川（二〇一八）はこの対立軸を、「空間」と「場所」という概念で説明している。空間（space）とは機能的なものであり、環境を均質で誰にとっても同じものとして把握する。空間は取替可能なもので、何にでもなりえる。

例えば、空間として運河を認識しているならば、「運河は交通手段という機能を果たしてきたが、それが果たせなくなったからこそ、今度は機能的に等価な道路として再利用されるべき」という主張になる。一方で、場所（place）は、機能を超えたかけがえのない意味を持っている。そこに関わる人々の価値観や付与された意味によって規定される。この立場からすれば、運河と等価となるものは存在しない。従って、機能的な代替は不可能であり、保存すべしという論理となる。つまり、小樽運河問題は、運河を空間としてみなすのか、場所としてみなすのかを巡る論争であった。

しかし、場所として重要であることが、経済的に重要とは限らない。経済的な衰退に対し、「守るべきなので、守る」というロジックの説得は難しかったことが分かる。もともと、行政とノスタルジーは相性が悪い。行政の目的は市民生活の向上である。小樽運河という存在が、市民の精神的充足に大きな影響を与えていることを実感したとしても、運河の埋め立てで市民生活全体が向上するという試算があり、それが決定事項になっている以上は、より有力な代替手段がない限りは止めることはできない。堀川（二〇一八）の言葉を借りるならば、「自らのノスタルジーをいかに行政官僚制が応対可能なものへと翻訳ないし通訳していけるかどうかが成否を分ける」のである。

運河保存運動は、運河を空間として認識する人たちをも納得させる論理が必要だった。その方法として最も効果的なものの一つは、場所としての運河が経済的衰退の克服に貢献できるという論理であった。この論理を手に入れるために、保存運動は新しい展開を迎える。

「私たちは『保存主義者』ではない」

後期運動は前期とは性質が大きく変化する。特徴的なのは、Uターン組や小樽以外からの流入組といった、外部メンバーの参加だ。多くは、二〇から三〇代、小樽というまちで生きることを自らの意思で選んだ者たちだった。彼らの参加動機は「住むからには燃えられる何か」がほしい、という地域社会への関わりを求めたものであり、前期の「文化財」という論理は元から存在していなかった。

北海道大学工学部建築学科で同窓であり、通称北大三人組といわれる若手建築・都市計画家三名が参加したことで、運動の性質は決定的に変化する。北大三人組は運動論のシンクタンクとして機能したのだ。全国の町並み保存の事例や、学会の大物を含む全国の有識者によるバックアップなどを通じて、行政と対抗する様々な力が運動に具わっていく。

さらに一九七八年七月に、すべてが若者による手作りイベントとして《ポートフェスティバル・イン・オタル》が開催され、一〇万人もの来客を達成した。このイベントは「運河地区に人々が集まりうること、したがってそこは憩いと商いとに絶好の場所であり、新しい「開発」の可能性を秘めていることを単純明快に示そうとするもの」（堀川、二〇一八）だった。この成功は、多くの市民に運河の持つポテンシャルを実感させることができた。こうした運動の背景にある論理は何だろうか。それを象徴する言葉があるので引用しよう。

「私たちは『保存主義者』ではない。わが街・小樽の歴史的・文化的環境の保存は従来の『文化財保護』のように、単に博物館的に保存するとか、凍結的に保存すると言うのではない。

そこに人間が住んでいて、代々生活の場になっていた生活環境を生かす形で、価値をよみがえらせて行く、すなわち、『古い容器に盛り込まれた新しい活気ある内容』が重要なのです」（『ふぃえすた・小樽』創刊号、一九七八年一二月。「小樽運河問題」を考える会編、一九八六に所収）

一般的な保存の論理とは違う。保存するのは、前に進むためだという変化を後期運動論は是認している。しかし、その変化の方向性は、運河埋め立てによる港湾商業活性化だけではなく、「観光資源としての運河」を保存しながら、いやむしろ運河が経済を活性化させる方法ですらある、という対抗案を示している。

経済的衰退を克服するために、運河をどうしていくのが望ましいのか、両者の認識が一致する。保存と再開発が矛盾しないという主張へ転換されたため、両者に議論と交渉の余地が発生し、経済界にも運動を支持する動きがおきた。こうして、運動は「隠れ保存派」と言われるような人々の支持を集め、小樽商工会議所が従来の市長支持から一転し、運河保存の要望声明を出すまでに至る。

運河のまち小樽の誕生

ところが、政財界や観光関連企業などを巻き込み、変更計画案を市当局から引き出すなど、順調に見えた運動は、一九八四年に内部対立からあっけなく分裂、瓦解（がかい）することになる。本書は運動論を解明することが目的ではないので、詳細を省くが、この結果、運河は半分を埋め立て、半分を残すという形で最終的な決着となった。こうして、今日見られる運河沿いの景観が残されることになった。

長年にわたる運河問題は、各種報道やメディアでも取り上げられ、小樽の知名度を向上させる役割を果たした。ちょうどこの時期は全国に町並み保存の動きが生まれ、歴史的建造物群保存が制度として成立した時期と重なっている。その動きは経済施設としての役割を終えてスクラップの対象であった古い建造物に、歴史的・文化的価値というフィルターを通じて新しい価値を見出す社会の転換を促していた。運河問題はその象徴的な事例として全国的に発信され、知名度を高めるのみならず、近代の歴史資産保存のシンボルとなった（村山研一、二〇〇六）。

こうして近代資産保存のシンボルとなった運河に観光客が訪れるようになり、それに合わせるように市も運河を中核とした整備事業を行った。これにより運河は「観光商品のコア」となり、小樽は「運河のまち」として観光地の道を歩き始める。それらの時系列的流れは、次のようになる（北島滋、二〇一一）。

（一）「歴史的建造物および景観地区保全条例」（一九八三年）と歴史的建造物の指定（一九八五年）……「小樽市の歴史と自然を生かしたまちづくり景観条例」（一九九二年）施行
（二）南側運河散策路およびガス灯等の付帯施設の完成（一九八六年）……北側運河散策路の完成（一九九〇年）
（三）運河倉庫群のライトアップ（一九八八年）
（四）第一回「小樽国際ガラス工芸フェスティバル」開催（一九九〇年）
（五）第一回「小樽雪明かりの路」開催—通年観光に向けて（一九九九年）

小樽市観光入込客数推移

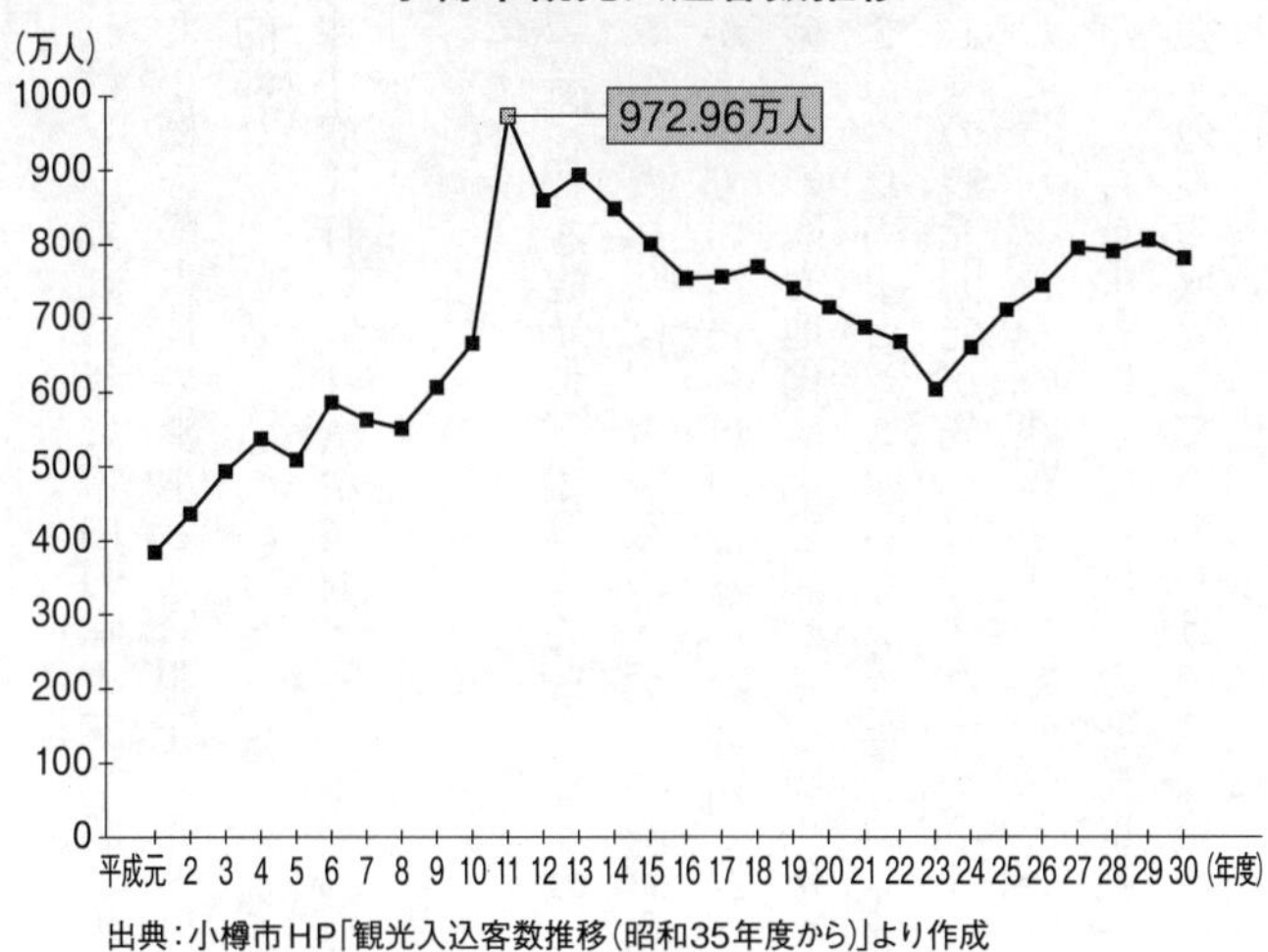

出典：小樽市HP「観光入込客数推移（昭和35年度から）」より作成

（六）観光計画「新・いいふりこき宣言」（二〇〇六年）

これらの活動により、観光入込客数は大きく増加し、絶頂期には一〇〇〇万人近くが訪れる一大観光地となる。運河のまち小樽は全国区の地域ブランドを確立したのだ。

また、運河を中心とした小樽観光は産業にも発展した。その象徴がガラス工芸である。現在の小樽には北一硝子を中心にして多くのガラス工芸が集積しているが、これらはもともと漁業用浮玉の製造からスタートしている。いわば、地域在来の歴史から生まれた産業である。その流れは、一九九二年に市内の職人三二名が集まり、ガラス工芸を中心にして製造業で発展した小樽の職人技の継承と共同開発研究を目的にして「職人の会」が発足したことから組織的になっている。二〇〇三年には「世界職人学会in北海道」が開催され、二〇〇五年に中小企業庁の「JAPANブランド育成支援事業」にも採択されている（村山、二〇〇六）。

「意図せざる観光化」からブランディングの一〇〇年へ

この「復活」は、数多くのメディアや研究者も取り上げてきた。しかし、もちろんすべてが上手(うま)くいったわけではない。堀川（二〇一八）によれば、一九八四年の「運河戦争」終結からの観光地化は「意図せざる観光化」であったという。なぜなら、小樽運河保存運動を担った当事者たちが不在のまま、観光業者が参入し、「市としての施策なしに、事実としての観光開発が先行していた」からである。近年は、絶頂期に比べれば観光客数は減少しており、多くの課題を残しているという指摘もある。また、小樽運河保存運動に関わった人たちを中心にして、現在の運河景観等に関して批判がないわけではない。地域社会は観光のみで成立しているわけではないため、この点については今後も研究が必要だといえる。

しかしながら、ブランド総合研究所が毎年発表している調査において、コロナ禍のただ中にあった二〇二一年においても、市区町村魅力度ランキングで四位という結果であり、小樽の地域ブランドとしての魅力は非常に高い。そして、観光の方法に批判はあろうとも、今や運河を埋めろという声は存在しない。運河はまぎれもなく地域ブランドの根幹になっている。

二〇二二年。小樽は市制一〇〇年を迎えた。今までの一〇〇年のほとんどは運河がブランドになるための一〇〇年だったといえるだろう。だが、ブランドとはあくまで地域や製品等に付与された識別記号にすぎない。ブランドが有するさまざまな機能を利用することで、価値を高めていくことができる。この営みこそがブランディングである（小林、二〇一六）。

つまり、これからは小樽運河によるブランディングの一〇〇年が始まったといえる。ブランドになった運河と共に小樽がどのような地域になっていくのか。それが試されることになる。運河は最新施設として誕生し、世界中の物資が集まる場所へと小樽を成長させた。

では、いまの運河はどうだろうか。観光客はもちろんであるが、現在、小樽には移住者を含めて様々な人たちが集まりはじめ、新しいビジネスや試みも生まれてきている。小樽の地域ブランドに惹（ひ）かれてやってくる人たちだ。いうなれば、今の運河は物資ではなく人を集める場所になっている。運ぶものは変わったが、今も昔も小樽運河は新しいものを運ぶ存在になっている。

運河の流れは、いつも変わらない姿のように見えるが、そこにある水は一度として同じ水ではなく、常に流れの中で新しい水となる。これは、まちづくりも同じである。堀川（二〇一八）は小樽運河保存運動という事例を通じて「小樽の事例が示すのは、むしろ変化を積極的に許容する都市保存運動のあり方」であり、「保存とは変化することである」とまとめている。変わらない姿のように見えつつも、常に変わり続けているのだ。そして、そのような意味での保存が生み出すものは、不可避の変化を自らコントロールしようという自己決定意識であるという。要するに、小樽がどうあるべきなのかについて、地域が自ら決定するという意識を生み出すのだ。今後、小樽がどうなっていくのか。次の一〇〇年には、新しい自己決定意識が生まれるのかもしれない。

ただ、一つだけ変わらないものがある。それは「運河がなければ小樽は小樽ではない」と感じる人たちの気持ちである。それがなければ、ブランドを維持し続けることはできない。様々な変化を遂げても、小樽という存在を主張する場所。小樽の歴史によってデザインされた場所。それこそが運河だ。そして、運河をブランドにする根幹は人の想い（おも）である。つまり、小樽を想う様々な人々の気持ちが常に流れ込んでいる「場所」なのだ。その想いがなくならない限り、小樽は小樽であり続けるだろう。

今日も小樽運河は数えきれないほどの人たちの想いと共に流れている。

第二章　無形価値を可視化する——千葉県佐原の大祭

江戸優りのまち

思っていたのと違う。

観光地を訪れた人なら、こういう体験を何度もしたことがあるのではないだろうか。私が初めて佐原（さわら）を訪れた時の感想がそれだった。

二〇一四年、地方創生政策の始まりといわれる年（坂本誠、二〇一八）。その時の私は歴史研究者から民間企業に転身して数年が経過しており、ヒストリカル・ブランディングの原型にあたる考えを持ち始めていた。地域振興の仕事で活躍する友人が私の考えに興味を持ってくれたので話をしたところ、それなら興味関心がある同世代の仲間達がいるので、先進地域の視察合宿をしようと企画してくれることになった。「歴史を活用したまちづくりを非常に熱心にやっている」という理由からだ。こうして私は初めて佐原という地域を知ることになる。

当日は現地の方の案内を聞きながら視察を行ったのだが、だんだんと「思っていたのと違うな」と感じ始めた。「ガッカリ」したわけではない。事前に調べた観光情報と、まちの姿にギャップを感じたのだ。

佐原は重要伝統的建造物群保存地区に選定されており、よく小江戸と評されている。実際に栃木市、川越(かわごえ)市と提携して「小江戸サミット」を開催するなど、江戸情緒がある。しかし、小さな江戸というより、「佐原」というまちの独自性を感じたのだ。

幸いにも、この旅は地域の方を交えた勉強会だった。そこで、失礼を承知で、この疑問を佐原商工会議所事務局長（当時）の椎名喜予さんに投げかけてみた。

「佐原は小江戸と言われていますが、個人的には江戸の影響を受けているというより、佐原という独自性が強い気がするのですが」

「いい視点だね。そう、佐原は江戸優(まさ)りのまちです」

椎名さんは嬉しそうな顔をしながら、こう答えてくれた。

江戸優り。江戸よりすごいってどんな意味だろう。これは、とても面白そうな地域にきたかもしれないと思った。これが、現在までの約一〇年にわたる私と佐原との関係の始まりとなる。

流通の要所として栄えた地域は、時代の変化に否応なく巻き込まれる

佐原は数多くの非常に面白い施策を実践し続けている地域だ。過去の実績はもちろんだが、内閣官房による、歴史的資源を活用した観光まちづくり官民連携推進チームに成功事例として紹介されており、二〇二三年現在においても数多くのプロジェクトが進行中である。しかし、佐原の道のりは決して順調ではなかった。

千葉県香取市佐原は県北部に位置しており、東国各地の物資を江戸に運ぶ拠点として大いに繁栄した歴史を持つ。江戸時代の戯れ歌には「お江戸見たけりゃ、佐原へござれ、佐原本町江戸優り」と謳われ、繁栄した。その礎を作った一人が日本地図を作った伊能忠敬。佐原の名主だった。その発展は明治以降も継続された。例えば、明治新政府の立ち上げ時期に勝海舟が支援依頼のために佐原の馬場本店酒造に逗留したことや、三菱銀行が千葉県

で最も早く設置されたことなどだ。

白井清兼ら（二〇〇九）によれば、一九六〇年代までは、近郊の中心地区として一市八町、約一五万人の商圏として商店街が賑わいを見せていた。だが、七八年に成田空港が開設されると、商圏としての求心力が次第に低下。佐原の中心市街地は衰退に向かいはじめたという。当時の変化について、地元の方から次のような話を聞いたことがある。

「昔は、何か特別なものを買いに行く場所は佐原だったんです。一九八〇年代後半だったと思いますが、当時コンピューターが一般人でも買えるようになってきた。仕事で必要になった時、最新のものを買いに行くのは佐原だった。でも、Windows98を買いに行った場所は成田だった。もう、その時には佐原でコンピューターは買えなくなっていたんです」

小樽の事例でも分かるように、流通の要所として栄えた地域は、時代の変化に否応なく巻き込まれる。その時に、新しいまちの形を模索することになるが、佐原は中心市街地衰退への対策として、一九九〇年代から「埋もれた佐原の資源を蘇らせ、観光により交流人口を増やし、地域を活性化させる活動」を始める。

大きな役割を果たしたのが佐原の大祭だ。一九九一年に実行委員会が「佐原の大祭をまちづくりの出発点にする」と宣言してから本格的な取り組みがはじまった。実は、この大祭こそが佐原の独自性の象徴的存在である。民俗学者の松崎憲三（まつざきけんぞう）氏は、小江戸の研究で佐原、川越、栃木を比較分析した。それによると、三つの地域はそれぞれ祭礼を行っているが、川越や栃木は「大江戸」への志向が強いのに対して、佐原は影響を受けつつも独自性を追求していると論じており、その違いを指摘している（松崎憲三、二〇〇七）。

これが、冒頭に示した私の疑問への答えでもある。佐原は大江戸の影響を受けていたが、独自性を志向していた。そして、独自性の象徴たる大祭を地域ブランドの中核にすえたことで観光都市として蘇ったのだ。まさにヒストリカル・ブランディングの事例である。だが、大祭がまちづくりの出発点になるのは、決して平たんな道のりではなかった。

「このままでは、祭りもできないまちになる」

「お祭りが下火になってきてしまい、祭りがあるのは迷惑だというのが昭和六〇年ですよね。祭りなんか、もうやらない方がいいという人が多くなっちゃったんです」

佐原商工会議所顧問である小森孝一（こもりこういち）さんは、当時をこのように語る。小森さんは、大祭をまちづくりの原点とする運動の中心的人物。何よりも大祭を愛する佐原人。大祭があるところに小森さんありだ。そんな小森さんが本格的にまちづくりを開始したのは、自身が経営する会社の代表を務める一方で、東関戸地区の区長として大祭運営の中心を担うことになった時だった。

佐原の大祭は、小野川両岸にある本宿地区が夏に、新宿地区が秋にと、それぞれが行う祭りの総称で、約三〇〇年の歴史がある。ユネスコ無形文化遺産に指定され、各町内がそれぞれの大人形を山車に載せた勇壮な引手と、和楽器のオーケストラと称される佐原囃子、山車の前で披露される手踊りが共演する山車祭りだ。今日では、夏と秋で四〇万人以上が来場している。しかし、小森さんが責任者の時は、状況が違っていた。

当時、国の機関から大祭に関するアンケート調査の依頼があった時のことだ。

「職員から『皆さん、どうなんですか、お祭りに対して』と聞かれたからさ、『いやあ、皆さん喜んでお金を出してくれていますよ』と、言ったんだ。そうしたら真逆の結果が出てきたわけだ。みんな、やめてもらいたいというのが圧倒的に多かったんだよ。職員から『小森さん、言っているの嘘でしょう。みんな、こんなお祭りやめてもらいたいと言ってますよ』と（笑）。これは参ったなと思ってさ。

こんな金を使う馬鹿な祭りはやめてもらいたいと。それで危機感を持ったんですよね。こんなことをやっていたんじゃあ、祭りもできないまちになっちゃうねと。何とかしなくちゃいけない、これは」

　大祭を愛する小森さんの中に生じた「祭りもできないまちになる」という危機感。祭りには特別な力があると思っていたが、当時は「佐原のまちづくりをやろう」という声がけをしても、「無理だ」「ダメだ」という否定の議論から始まり、誰も協力をしてくれる状況ではなかったという。

　けれども、大祭の担い手たちは祭りの話になると俄然（がぜん）白熱して、各町内が競ってより良いものにしようとする熱に溢（あふ）れていた。祭りは外の人間には、わずか数日のことだ。しかし、運営する地域にとっては、準備を含めてとてつもない労力が必要になる。祭りの運営には、経済力のみならず、人的ネットワークを含めた、まちの総合力が必要となる。このエネルギーをまちづくりと繋（つな）げられないだろうか。大祭をまちづくりの出発点にするという発想は、ここから生まれた。

　出発点という言葉が重要である。まずは大祭を観光の目玉にする。それによって佐原が観光地として魅力的になっていけば、それを基にまちの産業が活性化していく。そのように小森さんは考えた。

「当時、観光というのは、人がたくさん集まっているところで団子を売るといった発想だったんだよね。でも、そうじゃない。観光を軸にしてまちづくりをする。産業を作る。こう思ったわけだ」

ところが、まちの反応は「そんな馬鹿なことあるもんか」というものだった。

頼みの祭りの仲間も多くは、「祭りはそもそも観光のためのものじゃない」「祭りを金もうけの道具にするようなことは間違っている」という反応。どちらも、大祭を愛し、もっと良くしたい、続けていきたいという気持ちは同じ。言い分も分かる。このままでは平行線をたどるばかりか、対立を深めることになるのは明らかだった。

「まちのみんなを集めてそういう話をすると、ほとんどが『お前、そんなこと言ったってできっこねえよ。やってみろ』と言うから、『じゃ、やってもいいんですね』って言った。すると、『やってみろ』って言うので、『よし、分かった。やりますよ』って、言葉尻をつかんで始めたんだよね」

とにもかくにも、始める準備はできたものの、完全なる手探りであった。敵は多いが、味方はほぼいない。そんな状況の中でどうすればよいのか。課題は山積みだったが、何はともあれ、まずはまちのみんなが納得する理由を考える必要があった。

歴史が対立から対話にいたる道を拓く

まちの意見をまとめるために、小森さん達がとったアプローチは、大祭と地域により深く向き合うことだった。それは、佐原の「歴史」への着目だ。歴史を学ぶ中で、小森さんの中でまちづくりのコンセプトが明確になっていく。

例えば、大祭とならんで現在観光の目玉になっている小野川。小森さんによれば、当時の小野川は「巨大排水路」のようなもので、みんなゴミは捨てる、水は濁るで、メタンガスのためひどい悪臭だったそうだ。埋めて駐車場にしてしまおうという計画すら持ち上がる状況だった。実は、小森さん自身も当初は駐車場に賛成していたそうだ。

しかし、まちの歴史を調べる中で、小野川が大動脈になって江戸と繋がっていたことを改めて深く知ることになった。そして、とある企業役員にまちを案内した時に、「この川が江戸と繋がっていたんですね。小森さん、まちづくりをするなら、この川は残さないとダメですよ」と言われる。その後、小森さんは「小野川を埋めてはダメだ。佐原の昔からの命綱なんだ」と主張し、清掃運動も開始する。まちの人からは「お前、この間まで埋めろ、埋めろ、って言ってたじゃないか、先頭に立ってたのに何だ」という批判もあったそうだが、「君子は豹変（ひょうへん）するんだ」といい返したそうだ。

　歴史を学ぶ中で、小森さんのまちづくりが大きく変化したことが分かる。

　話を大祭に戻そう。前述のように歴史全体を調査していたのだが、特に大祭については念入りに行っていた。当時、祭りの歴史は口伝以外に知る方法はないとされていたが、まちの神社に資料があるらしい、との情報を入手する。最初は「ない」との返事だったそうだが、「そういうものがあるらしいから、もう一度だけ調べてくれ」と引き下がらずに頼み込んだ。しばらくすると、宮司が奥の戸棚から分厚い大福帳をパンパンパンパンとほこりを払いながら持ってきた。パラパラとめくると、そこには祭りに関する記述があった。

「あっ、これだ」

　小森さんは、祭りを運営する視点から、それが引継書であることを理解した。過去の引継書とは、具体的な手順のみならず、先人たちの祭りへの思いを伝える資料でもある。そう考えた小森さんたちは、早速引継書を読もうとした。貸し出すことを渋る宮司を何とか説得し、数日間貸し出してもらう。そこから、みんなで手分けして一気にコピー。ところが、さて読むぞとなったところで壁にぶつかってしまう。歴史資料において、古文書を読めるということ自体が特殊技術だが、実は単に古文書が読めるだけでは完全に理解はできない。

特に地域資料や私文書には、その時代や地域にとって当たり前すぎることは説明されていないことが多いからだ。これが、後世の我々が読むときに大きな課題となる。歴史から学ぶためには、その時代の空気を現代の我々が理解できるようにしなければならない。

「その引継書、文章が書いてあったと思ったら、突然、鶴が出てくるんだよ。鶴の絵が。その次に亀が出てくるんだ。『あれ？　何だろうな』と。その店の何か記号だね」

寺子屋で学んだ人が書いた、全国で比較的共通していた近世文書であれば、古文書を解読できる人は多いだろう。近年は、ＡＩで解読する手法も出てきている。けれども、地域商店独自の記号だとすると、これは難問だ。地域のことを知っている人でなければならない。では、誰がそんな事ができるのか。それは郷土史家である。小森さんたちは、古文書が読めるのはもちろん、佐原の歴史に詳しい郷土史家や専門家などを交えながら、文書を丹念に読み解く作業を始めた。その期間は、二年にわたった。

文書を読み進めるうちに、だんだんと大祭の特性が見えてくる。もちろん神事ではあるが、屋台を曳く山車行事自体は付け祭りといって神社の祭礼とはある程度切り離されており、実施可否についても町内で決められるなど、まちの意向で決められる要素が大きかった。

なかでも小森さんが衝撃を受けたのが、次の記載だ。「大祭につき汽車賃及び各乗り物会社へ、祭日中、賃金割引、汽車・自動車増発の件、町役場、観光協会、商工会等へ宣伝応援の件」。祭りをやるので、集客のために交通機関の割引、増便を促し、役場、観光協会、商工会へ宣伝応援を頼めという引継ぎ内容だった。つまり、昔の佐原では祭りが商業振興として活用されていた歴史を突き止めたのだった。

なぜ、変化してしまったのか。はっきりとは分からないが、小森さん達は、戦争における公職追放などを含めた急速な変化の過程で、こうした引継ぎが行われなくなってしまっていたのだろうと考えている。

古文書によって大祭の特徴が分かってきた。対立する意見がありつつも、資料が共通基盤となることで、対話が成立するようになっていった。今までは、頭ごなしに「昔からそういうものだ」と否定してきたが、歴史的には商業振興としても活用されていたという事実が分かった。そうなると、今の佐原にとって大祭をどのように位置付けるべきなのかといった視点での対話へ場を変える事ができたのだ。

こうした話し合いを進めていきながら、「一回でいいから協力してくれ。終わった後の掃除から、色々な手続きや準備は全部こちらでやる」という熱意に対して、「一度ならいいよ」といって協力してくれる態勢ができあがりはじめた。

無形価値を可視化する方法

ここまでの話の相手は運営メンバーであり、大祭に思いを持った人たちだ。だが、つぎの課題は、祭りを「佐原の三悪」と呼ぶ市民に、大祭の価値をどうやって理解してもらえるのかということだった。これは難問である。

「常に議論をしていたわけですよね、みんなと。議論をしていると、『祭りもできなくなるようなまちになっちゃあ、もう本当に佐原の価値がなくなっちゃうから、何とかしなくちゃいけない』という声もあって、イベントを始めたわけよ。その会議の中で、佐原の人は佐原のお祭りの価値を忘れているんじゃないか、という若いのがいてね」

大祭を嫌う人たちに、どうすれば価値を伝えられるのか。かつて、船と汽車しかなかった時代でも四、五万人を集めた佐原の大祭。価値は既にあるはずだ。ヒントを求めて各地の有名な祭りを視察し始める。そこで大きなヒントになったのが、とある祭りで実施されていた有料席だった。祭りを大迫力でゆったり楽しめる場所を有料区画とし、そこに椅子などを用意して販売する方法である。

しかし、いざやろうとすると、大変な議論が起きることになった。「今まで金を払わなきゃ見せないなんていうのは聞いたことがない。ただで見るものだ」「こんなもの誰も買うもの、いねぇからよ。大損するだけだ」という反論が起きた。今まで当たり前のように無料で見られたものを有料で販売するという時には、必ず起きる反発だ。さらには市議会でも「金をとってお祭りを見せるとは何事だ」という声が上がる。このような反発の中で、一部の心無い人たちからは「あいつら、自分達だけで金儲けやるつもりだ」という陰口も出てきた。

小森さんたちにとって予想以上の反発ではあったのだが、覚悟は決めていた。話し合いを進めながら、最終的にはすべての責任は自分たちが取るとして、半ば強引な部分もありながら、有料席を桟敷席として販売をスタートする。このような状況だったので失敗は許されない。その緊張感がある中で、小森さん達は逆転の秘策としてある特別な仕掛けを用意した。それは、大祭の山車を一堂に集め、横に並べて見せるというものだった。

「そうしたら評判がものすごくてね。佐原の屋台があんなにすごいことを、佐原の人間も初めて見た。今でもそうだけど、屋台というのは縦に並んでいるもので、横に並んでいるのは、それが初めてだったんですよ。開闢以来の話。これはすごいと評判が評判を呼んで、次の年は三日で売り切れ。その次の年は三時間で売り切れとなってさ。『見なさい。どうですよ、皆さん。佐原の祭りには、これほどの価値があるんですよ』と、みんなに言ったんだけどさ（笑）」

この時の熱狂はすごかったそうだ。とにかく、数多くの人が集まった。加えて、イベントに人が集まったというだけではない。イベントが終わった後、佐原のまちが大混乱するようなことが起きる。わずか一時間半でまちなかのありとあらゆる飲食店で食べ物が売り切れてしまったのだ。いままでは、まちの中で楽しむだけの祭りだったので、飲食店もちょっとしたイベントがあるくらいのつもりでしか用意をしていなかったためだ。ところが、実際には地域外からたくさんの観光客がやってきた。彼らはイベントの興奮のまま飲食店へと繰り出したのである。とにかく、ありとあらゆるものが売れてしまい、挙句の果ては、自動販売機にある水すらすべて売り切れてしまう。

「観光客の人に『餓死させせんのか』と怒られたんだよね。そういうのは想定していなかったから、こちらもびっくりしたもんです」

だが、これは大祭がまちの産業に大きく貢献するという事を証明する出来事でもあった。当たり前の風景が、実は大きな価値を持つことに、大祭に興味がないまちの人たちも気づいたのである（なお、執筆当時の二〇二三年段階において、佐原の大祭では桟敷席を実施していない。資金獲得が目的ではなく、あくまで地域の中で価値を認めさせるための施策だったからだ）。

景観を取り戻せ

こうして徐々に祭りがまちにとって価値あるものだという意識が高まる中、より魅力的にしていくための動きが始まっていく。

前述のように、「佐原の大祭」とは総称であり、厳密には夏の本宿地区と、秋の新宿地区は別の祭礼である。主催組織も、主催地区も異なる。別の地区を自分たちの山車が運行することは通常ありえない。出店や飾りつけも開催対象地区のみである。そのことを知らずに大祭に行った時は、私も驚いた。なにせ、提灯（ちょうちん）や出店でにぎやかに山車が運行している場所から、ほんの数メートル先には何もない。化かされたと思っても不思議ではない。

このように、今でも大祭は厳密に区別されている。しかし、一か所だけ互いに行き来する場所がある。それが佐原の象徴である小野川にかかる忠敬（ちゅうけい）橋だ。忠敬橋付近は、夏も秋も祭りの最大の見せ場の一つである。のの字回しと言われる勇壮な屋台引きの華となる技術を見ることができるエリアであり、この場所だけは公共エリアとして新宿、本宿それぞれの山車が互いに行き来する。

個人的には、夜に見る小野川での祭り風景が好きだ。日が暮れて、山車の提灯に火が灯される。佐原囃子の音色と共に、小野川沿いを進みながら、忠敬橋からゆっくりと遠ざかる。その姿が川の水面に映る姿は何とも幽玄である。事実、小野川付近は、祭りの風景としてよく撮影されている。

けれども、当時はこの光景を見ることはできなかった。大きな課題が二つ存在したからだ。まず一つ目の問題は歩道橋だった。当時、忠敬橋には歩道橋がかかっており、山車の運行や祭りの景観を阻害していたのである。当初は「知らんぷり」をしていたそうだが、視察に来た有識者から「観光をもっと盛んにしようと思ったら、これを外さなくては、やる価値がない」と指摘されたことを受けて、小森さん達は祭りの景観を取り戻すためにも歩道橋の撤去を考えはじめた。しかし、その提案に対して、まちからは沈黙か反対の声しかあがらなかった。

「何とも言わなかった人もいるけど、とにかく全部反対。こっちも反対、それから向こうも反対。反対、反対、反対と、地元の連中がみんな反対。何で反対しているのかと聞いたら『いや、あったものがなくなったら不便だから』と。それだけの話。『それが無かった時は、どうしてたの？』と聞いたら、『無かった時、どうだったっけな』で終わりなんだよね」

そこで小森さん達が打って出たのは、カメラ撮影を駆使した利用実態調査だった。当時ビデオカメラは貴重だったこともあり、東京の業者に一週間にわたるカメラ撮影での実地調査を実施してもらう。その結果は驚くものだった。小学校低学年は利用するものの、高学年はほとんど誰も通らない。何より、大人の利用がゼロだったのだ。つまり、ほとんど活用されていない。

「みんなの前でいうのは嫌だから、個別に話しにいったんですよ。『あなた、今日何時何分に下の道を渡ったでしょ』って。『何でおまえ知っているんだ？』『だって、ちゃんとビデオで撮影していましたからね』という具合。みんな黙っちゃった。それで、『危ないからといって歩道橋を渡ってました？　皆さん下ばっかり通っていて、歩道橋一つも利用していないのに何で反対しているんですか』といったら、『うーん』の一点張り。最後は『とにかく、これ外しますから。反対しないでくださいね』という感じだよ」

これでほとんどの人は黙ったのだが、低学年は使っている事を根拠に安全性での反対意見はまだ残っていた。

「これで事故が起きたら、小森さん。あなたは責任を取ってくれるのか？」

脅迫にも近い反対を受けた小森さん達。確かに子供の安全は大事なのでどうすればよいのだろうかと頭を悩ませる。その時一つのニュースを見ることになる。それは、日本においてバリアフリー概念が浸透するようになってきており、歩道橋は車椅子を考慮しない通行手段であるというものだった。

歩道橋という存在で困っている人がいる。となれば、歩道橋ではない安全策を講じていく方が全体利益に繋がるはずだ。元々は祭りのために撤去を考えていたのだが、究極的に安全性に課題があるという事に気が付くことができたのだ。そこで、警察も同席した場所で次のように語りかけた。

「いまは誰も障害の方がいないからいいけど、皆さん方の中にこういう方が出てきたらどうしますか。毎朝、皆さんが出てきて、旗を振って、すべて車を止めることを行き帰りやるんですか。そうじゃなく、歩道橋を外して横断歩道をつくり、信号をつける。そうすれば、障害を抱えた方だってゆうゆうと渡ることができて、安全対策は格段にあがると思うんです。どうですか？」

場内に沈黙が流れた。小森さんは静かに「署長さんどうですか？」と警察へ投げかける。

警察署長は「交通課長、説明を」とバトンを渡した。交通課長は口を開いた。

「歩道橋がある、今の道路。これは安全対策としては一〇〇点満点で二五点くらいです。歩道橋を外して信号をつけることで、六〇点から七〇点になります。安全対策は上がります。我々としては、そうしてもらいたいと思います」

祭りへの情熱から始まったものだが、最後はまちの安全対策向上にまで繋がる形で撤去が決定した。しかし、二つ目の課題が残っていた。それは祭りの運営に関わるものだった。

「佐原の三悪」が観光の目玉になる

撤去もきまり、小野川の両岸で祭りができる準備が整った。だが、先に述べたように夏と秋では主催地区が違い、それぞれの町内に山車は入らないとされてきた歴史がある。忠敬橋は二つの地区を繋ぐ橋だったため、渡り切ると別地区になってしまう。「小森さん、それはだめですよ。他町内の氏子の屋台が神域に入ってくるのは納得がいかない」。こういう反論が起き始めたのだ。

しきたりであるなら、仕方ない。けれども、冷静に考えると「小野川」自体は、どちらの町内のものでもない。だとすれば、小野川にかかっている忠敬橋も誰のものでもない、つまり公共空間なのではないだろうか。このような疑問を小森さん達は持った。そして、再び歴史を調査しはじめる。

その結果、大正時代に作られた一枚の絵ハガキを発見した。小森さんは、そこに写っている重大な事実を見つける。神輿（みこし）が忠敬橋の真ん中に置かれていたのだ。神輿は神事の中心であり、他町内に行くことなどありえない。これは、忠敬橋は公共空間であったという証明ではないだろうか、そう考えた。

「写真を持って宮司さんのところに行ったんですよ。『この写真。これ、忠敬橋の真ん中に神輿があるでしょ。半分、他町内の方へ足をかけているけど、これはどういうことですか。お互いの神域ということで、使うのは差し支えないんじゃないか』

こう話したんだよね。そうすると『うーん』と腕組みをしてしまった（笑）。『自分一人ではどうも言えないから、総代さん達も呼んで話しましょう』となってね。最終的に、宮司さんや総代たちと話し合って、まあいいでしょうとなったんだ」

こうして、忠敬橋は公共の広場となり、祭りのハイライトを飾る場所の一つとなった。歩道橋の撤去については椎名さんも「撤去のおかげで本当に景観が生き返った」と述べるなど、高く評価する人が多い。努力の結果、大祭はまちづくりの原点として佐原の中で認

関東で初の重要伝統的建造物群保存地区に選定された佐原の町並み

識されるようになっていく。

このように、地域の中でブランドとなった大祭をさらに磨き上げるために、この後もさまざまな施策が実行されていくことになる。佐原のシンボルとして、成田空港や東京ドームのふるさと祭り東京をはじめ、いろいろな場所に出ていき、対外的なPRを担っていった。

もちろん、この後もたくさんの反対や調整が行われた。何かある度に役場に小森さんが現れることから、役場では「あの、祭り好きがきた」と噂されたくらいだという。面白いのは、当時佐原の三悪と言われたのは「大祭」「小野川」「古い町並み」だというが、それがすべて今は観光の目玉になっていることだ。その転換の大きなエネルギーになった考えこそが、「大祭をまちづくりの出発点にする」という発想だ。これを言い換えれば、大祭を単なる観光イベントとして大きくするのではなく、地域ブランドとして産業を創り出すということである。

そして、この大祭の魅力を向上させるために環境を整えていこうとすると、必然的に大祭と共に歩んできた小野川や古い町並みが必要になっていく。大祭がまちづくりのコアとしての存在感を増していく中で、むしろ小野川や町並みの重要度が明らかになっていき、両者は互いの連携を深めていく。それまでバラバラだった活動が有機的に結びついていって強化されていった。そのことは、佐原が関東で初の重要伝統的建造物群保存地区に選定されたことからも読み取れる。

「このまちにいると、いつまでも夢を見ることができるんだ」

振り返ってみると、すべてが上手（うま）くまとまっているように見える。しかし、実際には小森さんの言葉を借りれば「むちゃくちゃな進め方」だったそうで、「気が付いたらやる。やってみてぶつかって初めて分かるのがまちおこし。まちおこしは筋書きのないストーリー」というものだった。

佐原の事例は、たまたま資料が見つかったラッキーな事例だったように見えるかもしれない。ところが、それは大きな間違いだ。小森さんは「何とかしようという気持ちがなかったら見つからないんですよ」と言っている。実際に、引継書の存在は誰もが忘れており、存在しないことになっていた。歴史は無くなることはないが、忘却はされる。歴史的資料は、探そうと思わなければ出てこない。

資料は情報であり、無形資産だ。価値を創り出すための工夫をしなければならない。けれども、それは時間もかかるし、大変に面倒だ。短期的な利益だけを考えれば避けようと思うだろう。表層的な歴史なら、Wikipedia でもそれなりに得られる。だが、このような作業を丹念にしていく中で、他地域が模倣することができない、大きな価値が生まれる。その結果、一〇〇年続くような地域の宝になる。

小森さんは、まちづくりのなかでも何度も大きな壁を突破してきた。その経験を踏まえて、次のように語っている。

「思い付きのことになると、壁に必ずぶつかる。やっぱり、歴史を知らないとその壁を崩せないんだよな」

佐原は、小森さん達がまちづくりを始めた時から比べると、観光地として大きく発展を遂げている。しかし、小森さん達の夢は、未だ実現していない。いまでも年に数回は全国を視察し、年々磨きをかけようとしている。

小森さんの夢とは何なのか。数多くの講演を行ってきたそうだが、その中で必ず夢に言及している。私は、その言葉の中に本当の意味での地方創生があると常々思っている。それは、こんな言葉だ。

「おれは、八〇を超えたじじいだけど、このまちの祭りを日本一にしたい。このまちにいると、いつまでも夢を見ることができるんだ」

地方創生とは、「このまちにいると、いつまでも夢を見ることができる」と実感できる地域になるという事ではないだろうか。他ではなく、ここでしか見られない夢だ。小森さんの夢は大祭を日本一にすること。その日本一とは状態ではなく行為だ。日本一になったものは、日本一であり続けねばならない。小森さんの夢は未来の佐原にも受け継がれていくだろう。それはいつか「歴史」となる。歴史とは、先人から私達へと受け継がれてきた思いに他ならない。

※小森さんの佐原でのまちづくりの全体については、私も編纂に関与した佐原アカデミア編（二〇二三）を参照。本章では紹介しきれなかった内容についても記載されている。

第三章　ヒストリカル・ブランディングの理論
――観光による地域ブランディング

二つの地域ブランディング

ここまで小樽、佐原という二つの地域における事例を見てきた。共に観光を軸にして地域ブランドを高めた事例であるが、なぜ歴史がそれを実現できたのだろうか。本章ではヒストリカル・ブランディングの理論的背景について紹介しよう。

まず、地域ブランドを高める方法である地域ブランディングには二種類が存在している。一つは海外で中心的に研究されてきた、地域自体をブランド付与対象とする地域空間ブランディング。もう一つは日本で中心的に研究されてきた、製品を特定の地域と関連づけて

地域ブランディングの政策モデル

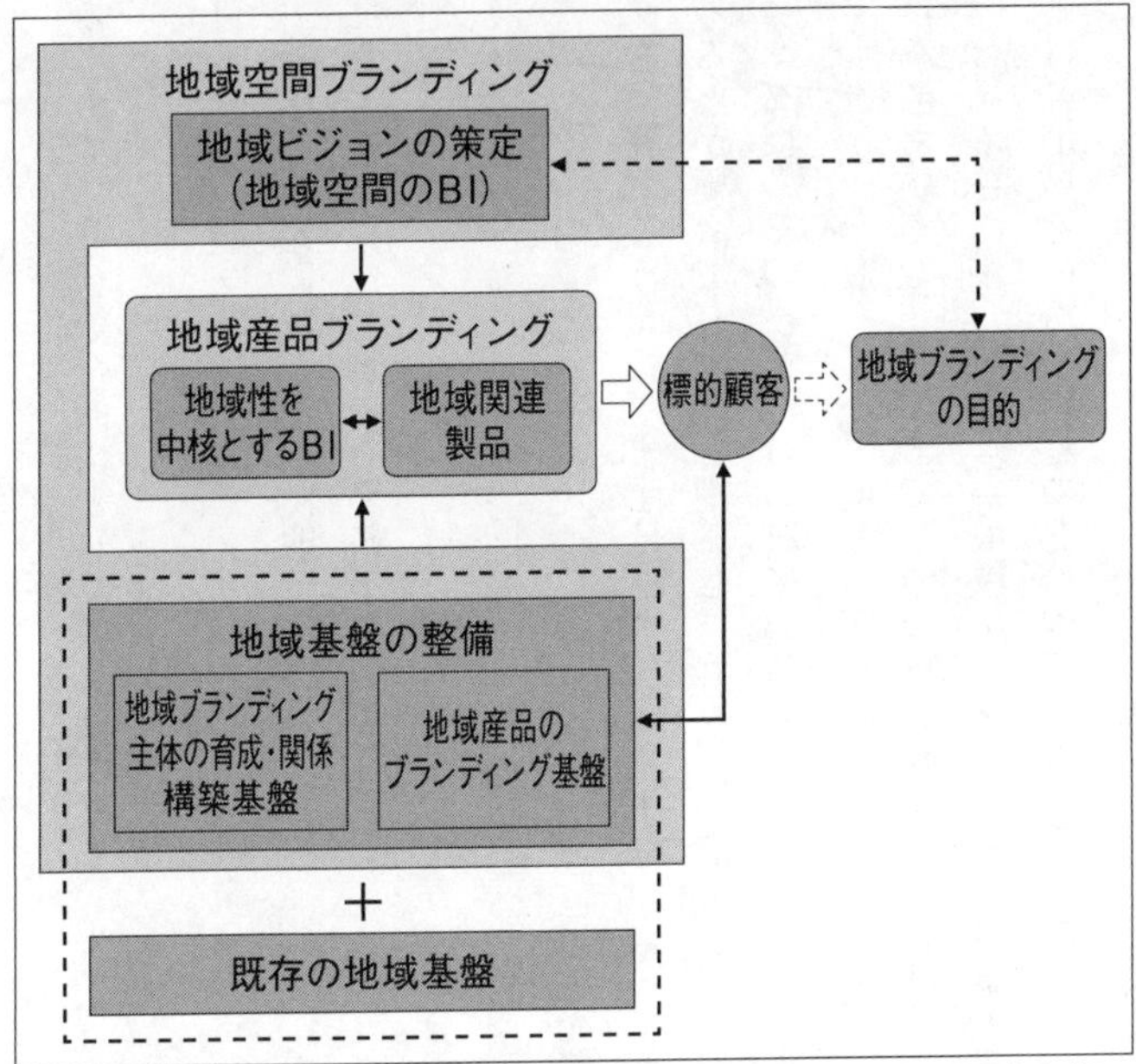

註：BI＝ブランド・アイデンティティ（企業が顧客の心の中に形成したいと思う理想的なブランド・イメージ）の略
出典：小林(2016)、94頁を基にして作成

ブランディングする地域産品ブランディングである。京野菜といったものがこれにあたる。企業で喩えると、地域空間ブランディングとは企業そのもののブランディングであり、地域産品ブランディングは企業が提供する商品のブランディングだといえる。地域ブランディングを語る上では、二つの地域ブランディングは互いに影響を与

えるものであり、統合的にとらえる必要がある（小林、二〇一六）。

日本では地域ブランディングといえば、地域産品ブランディングを指すことが多かったが、近年、観光領域を中心に地域空間ブランディング（プレイス・ブランディング）が注目されるようになり、研究や書籍が発刊されるようになってきている。

地域空間ブランディングには、観光を含めた五つの分類があるとされているが、その中で最も影響力が強く、世界的に活用されているのが観光地ブランディング（デスティネーション・ブランディング）だ。ＵＮＷＴＯ（国連世界観光機関）ではプレイス・ブランディングを構築するうえで、まずはデスティネーション・ブランドを適用するところから着手することが極めて有効だと指摘しており、実際にグローバル視点だと観光分野ではブランディングに多くの投資が行われている（宮崎・岩田、二〇二〇）。

日本においても、ここまで二つの有名観光地におけるヒストリカル・ブランディングの事例を見てきたが、観光は「地域ブランド」を高める上で有力な手法だとされている。観光とは、地域そのものに魅力を持ってもらう手法だ。観光分野では昔から歴史文化が活用

プレイス・ブランドの5つの分類

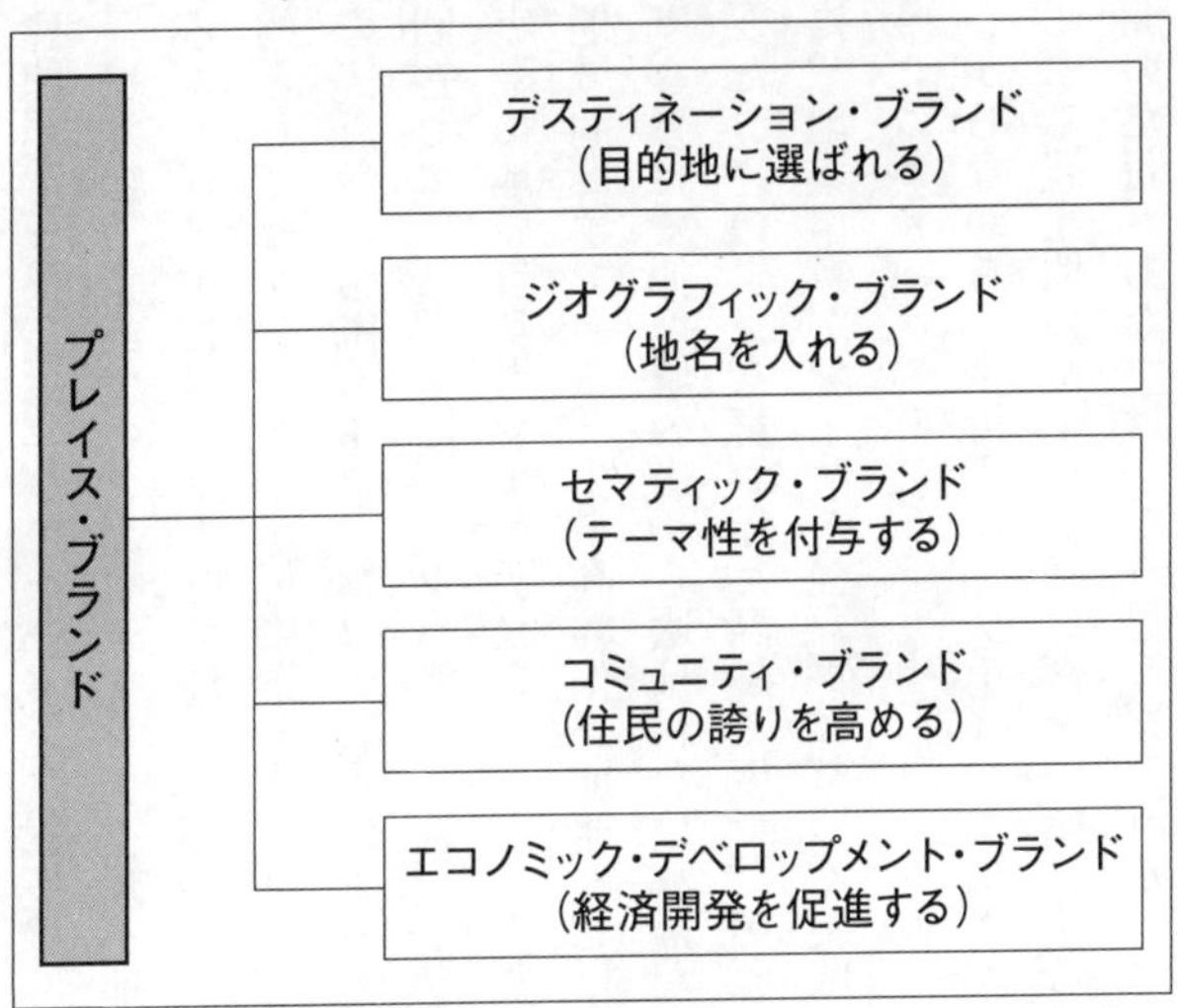

出典：宮崎・岩田（2020）、27頁を基にして作成

されてきており、大きな魅力になっていることが多い。

そこで、本章ではデスティネーション・ブランディングにおける歴史の役割に注目しながら、ヒストリカル・ブランディングの理論的背景を明らかにしていこう。そのためには、観光地マーケティング（デスティネーション・マーケティング）を知る必要がある。なぜなら、地域ブランディングは「地域マーケティングの発展形」（小林、二〇一六）と言われているからだ。

違和感がある「観光」マーケティングの正体

最近では、企業でのマーケティング経験を地方創生に活用したいという人が増えてきているようだ。中には副業として地域に関わる人たちもいる。また、企業自身も地方創生を目的としてセクションや新規事業を作る動きが加速している。少し古いデータになるが、二〇一五年の帝国データバンクの調査によると五三・三％の企業が地方創生に関心があると回答している。（帝国データバンク、二〇一五）

実際に地域自身もマーケティングの力を必要としている。その背景にあるのは、本格的な地域間競争である。少子高齢化が加速度的に進んでいる地域が生き残っていくためには、様々な分野で他地域の人から選ばれなければならない。そのためには、マーケティングが必要だ。そのような声が年々高まる中で、それを支援する動きも同時に加速している。実際に、地域事業がマーケティングに基づく実践によって成功した事例も色々な媒体で見るようになった。

しかしながら、企業がマーケティングによって成功したという話と、地域空間全体を対象にする観光地のマーケティングを一緒にすることはできない。例えば、次のような提案を聞いた時、あなたは、どう思うだろうか。

「地域観光のマーケティングを進めるには、まず何よりターゲットを決める必要があります。そこで、今回どのターゲットを狙うべきかについて調査しました。その結果、最も購買意欲が高く、人数が多いのは三〇代独身女性であることが分かりました。なので、このターゲットに向けてプロモーションをしていきましょう」

どうだろうか。実は、この考え方はマーケティング的には全く間違ってはいない。もし、これが地域の一企業であれば問題はない。けれども、地域全体を対象にしたデスティネーション・マーケティングという視点では、この「観光マーケティング」はもの足りない、もしくは違和感すらある。なぜなら、「そんなことは分かっているけど、それができないから困っている」ということが多いからだ。

まず、①ターゲットとなる顧客を決め、②そのターゲットの好みを把握して、顧客が買いたいと思うものを作ろうという提案だ。だが、地域空間を対象にしたマーケティングにおいては成立しない場合が多い。なぜなら、観光商品というのは地域の特性に強く依存しており、製造業と異なり新商品をそんな簡単には作れないからだ。ターゲットの間で登山ブームだから山を造ろうなんてことはできるわけがない。

もちろん、これは極端な例だ。この事例であれば、ゼロから作らなくてもターゲットの好みを組み込んだ旅行プランの作成といったことはできる。しかし、それが必ずしも自地域にあるとは限らないし、作ろうということになっても、「購買意欲が高くて、人数も多い層」といったターゲット設定の場合、他地域も同じように考えることが多く、結果として資本力等の差で勝負が決まってしまう事も多い。

つまり、結論から言えば地域は、製造業に代表されるような一企業のマーケティングとは異なる性質を多数持っているということである。この点について、世界的なマーケティング学者であるKotler, P.は「ターゲット市場が製品戦略を決定するビジネス・マーケティングとは異なり、デスティネーション・マーケティングの最初の取り組みは、（人工的なデスティネーションを除いて）ターゲットとなる潜在的なセグメントを決定する、手持ちのアトラクションやリソースから始まるのが普通である」（Kotler et al. 2016）と説明している。この状況を理解せずに「一般的」な提案をしても上手くいかないだろう。

だが、一方でこの方法はホテルに代表されるような観光事業者にとっては、実施することが可能な提案にもなりえる。先の例でいえば、三〇代向けのホテルは建設可能だからだ。こうして考えると、観光マーケティングというのも、先に示した地域ブランディングと同様に二種類存在することが分かる。要するに、観光事業者が提供する製品やサービスを対象にしたマーケティングと地域全体を対象にしたマーケティングである。そこで、拙稿である久保健治（二〇二一）を参照しながら、この整理から始めてみよう。少し遠回りになるかもしれないが、お付き合いいただきたい。

なお、次からの理論説明ではツーリズム、デスティネーションという言葉を使用するが、日本ではツーリズム＝観光、デスティネーション＝観光地として語られることが多い。ただ、厳密には学術的な意味でのツーリズムは観光と完全に一致していない。デスティネーションと観光地も同様である。けれども、本書は一般書であるため分かりやすさを優先させるため、ほぼ同じ意味として記載することをお許しいただきたい。

デスティネーション・マーケティング誕生の背景

ツーリズム（観光）理論の変遷は、観光市場の変化と強く結びついている。そもそも観光の研究は一九世紀初頭にヨーロッパで始まった。船と鉄道による広範な移動が可能になったことを背景にしてアメリカからの観光客が増加し、経済的なメリットが認識されるようになったからだ。特に、第一次世界大戦後に経済復興を目指す中で、外貨獲得の有益な手段として注目された。その中でも、イタリアやドイツの大学では観光事業や経済効果に関する学術的な研究が積極的に行われた。この時期の研究は、国や地域といった特定のエリアにおけるツーリズムの経済的側面を分析したものだった。

第二次世界大戦後になると、本格的にツーリズムの大衆化と市場の拡大が進んでいく。それを受けて、企業実務や管理方法などに焦点を絞った研究が誕生する。その対象は宿泊施設から始まり、飲食業、保養所、教育文化施設、旅行業にまで拡大され、管理組織、企画、人事管理、施設管理といった経営課題について分析されるようになる。この段階では、観光に関する研究視点は地域や企業の内部環境を対象にしたものであった。この時代は、まだまだ旅行できる人が少なく、自分たちの商品を改善して流通させれば売れる時代だったからだ。だが、製造業で先行して変化が起きる。生産技術の発展によって、製造業において供給が需要を上回るような事態が発生したのだ。

その課題を解決するために経営学の中で新しい理論概念が誕生する。それこそが、需要創造を目的とするマーケティング概念である。この変化はツーリズムに二つのマーケティング概念を誕生させることになる。それが、「ツーリズム・マーケティング」と「デスティネーション・マーケティング」だ。それでは、具体的にその変遷を見ていこう。

マーケティングは製造業現場を対象にして誕生した概念だったが、近い将来にツーリズム市場でも同じ状況が起きると予測したドイツのKrippendorf, J.（1971）はツーリズムに応用することを提唱する。これが、観光に関する第一のマーケティングであるツーリズム・マーケティングである。

マーケティングは、企業の内部資源の効果的、効率的活用から生まれる製品を販売する「製品志向（product oriented）」ではなく、顧客が買いたいと思う製品を提供する「顧客志向（customer oriented）」になることで需要創造を実現しようとする。ツーリズム・マーケティングは、このマーケティング概念をツーリズムに適用し、需給バランスの改善を試み、個別企業の競争を強化することを目指すものだった。

その中では観光とは経験そのものが提供価値であり、製造業とは根本的に異なる性質を持っているという指摘が行われ、ツーリズムに即したマーケティング理論が提唱された。つまり、ツーリズム・マーケティングは、ツーリズム事業者を主体としたものといえる。先に示した二つの分類でいえば、ツーリズム企業が提供するサービスや商品を対象にしたマーケティング理論であったといえるだろう。

人はまず目的地を決める

では、もう一方の地域そのものを対象にしたマーケティングはどうだったのだろうか。それがデスティネーション・マーケティングである。実はデスティネーションやデスティネーション・マーケティングの定義については、日本ではいまだに広く受け入れられているものはないとされている。（藤田尚希、二〇一六）それだけ、多様な概念だ。本書の目的はその定義を試みるものではないが、その性質について理解するためにデスティネーション・マーケティングの概要を確認しよう。

一般的に、デスティネーション・マーケティングに関する最初の定義を提唱したのは、Wahab et al.（1976）だと言われている。彼らの研究はデスティネーション志向のマーケティングが必要だという主張であり、現在のサスティナブル・ツーリズムやレスポンシブル・ツーリズムにも通じるような地域内利益（住民）と地域外利益（観光客）を統合したマーケティングを示唆するものであったが、残念ながら体系的な方法論までは提示されておらず、概念的な提示で終わってしまっている。

観光マーケティング学者のPike, S.とPage, J. S.によれば、現在のデスティネーション・マーケティング研究に大きな影響を与えたのはLeiper, N.（1979）だという（Pike and Page, 2014)。Leiper（1979）は観光の全体像を把握しようとし、一つのシステムとして提示したが、その最も重要な構成要素としてデスティネーションを位置づけた。Leiper（1979）がいうデスティネーションとは、簡単にいうと「観光客が居住地を離れて一時的に滞在する場所であり、特に旅行動機を引き起こす魅力が凝縮されている場所」というものである。

これは、いわば旅の目的、日本だと観光地になる場所といえる。時を同じくして、観光の規模が大きくなり、マーケットが拡大していくことを受けて、観光客が旅行先をどのように決定するのか、観光消費者行動に関する実証的な研究も行われるようになる。

その中で明らかになっていったのは、観光客は休暇を取得すると決めると、まずデスティネーションを決定することが多いというものだった。その後に、宿泊先を含む消費活動を決める。そして、ほとんどの活動はデスティネーション内で実施される。

これらは一般消費者を対象にしたものであったが、Gartrell, R. B.（1988）はＭＩＣＥ事業（ＭＩＣＥとは、企業等の会議【Meeting】、企業等の行う報奨・研修旅行【Incentive Travel】、国際機関・団体、学会等が行う国際会議【Convention】、展示会・見本市、イベント【Exhibition/Event】の頭文字を使った造語で、以上のビジネスイベントの総称のこと（日本政府観光局、ホームページ）においても同様の動きがあることを指摘し、初の体系的なデスティネーション・マーケティングの書籍を出版した。

（註：現在のデスティネーション・マーケティングは、日本語の観光よりも広い意味を有する形で研究が行われている。例えば、出張や帰省に代表されるような「一時的に居住地を離れて、他の場所に滞在する」という行動もツーリズム研究に含まれる）

さて、ここまでの話を表にまとめると次頁のようになる。

観光にはこの二つのマーケティングがあるが、研究によって多くの観光客は観光関連産業が提供するサービスではなく、そもそも「どこに行くのか」といった場所、すなわちデスティネーションを優先していることが明らかになった。例えば、北海道に行くと決めてから、宿泊先や観光活動を決めるということだ。こうして、観光の基本単位はデスティネーションであるという考え方が普及されていき、そのマーケティングを実施する機関としてＤＭＯが設立されるようになってくる。

（註：ＤＭＯは、Destination Marketing Organization の略称である。学術的には「特定のデスティネーションのマーケティングを担う組織」（Wang and Pizam, 2011）と定義される。ただし、研究者の間でも様々な定義が存在している）

ツーリズム・マーケティングとデスティネーション・マーケティングの比較

	実施主体の概念	マーケティング対象
ツーリズム・マーケティング	主に観光事業者（国や企業連携も含む）	観光商品
デスティネーション・マーケティング	地域（実際にはDMO等）	デスティネーションそのもの

出典：久保（2021）、88頁「表2」を基にして筆者作成

近年では、Marketing/Management と表記されるなどマネジメント機能を担う組織としても期待されている。ただし、マーケティングに限定すべきだとの研究（例えば、Pike の一連の研究）もあり、学術的にも議論されている。日本では二〇一五年に日本版DMO登録制度創設に伴い、認定された組織をDMOと称することが多い。本書においては、日本の認定DMOを含む広い一般的用語として使用している。

観光地のコモディティ化

その後、観光が生み出す経済効果が明らかになると、世界では多くのデスティネーションが誕生していった。増えていく競合との競争に勝つためには、マーケティングの実施により顧客志向にならねばならない。そのような実践が続いた結果どうなったのか。察しの良い方であれば、思い出してくれただろう。そう、「商品としてのデスティネーション」がコモディティ化しはじめたのだ。

地域というのは、本来オリジナルなものであるにもかかわらず、「商品としての観光地」になることを突き詰めた結果、マスツーリズムに過剰適応することになった。地域の独自性を無視した顧客志向による利益の「最大化」を目指すマーケティングは、誰もが同じ「美味（おい）しい」ターゲットを狙う行動を促し、結果として差別化するどころか、むしろコモディティ化するという「マーケティングのジレンマ」を引き起こした。

この現象について、観光経営学者であるLaws, E.は次のように述べている。「マスツーリズムの結果、ツーリスト・デスティネーションのコモディティ化が発生する傾向がある。デスティネーションは代替可能なものとなり、ツアーオペレーターのパンフレットはビーチやエンターテイメントといったような一般的な魅力を強調する。このような状況にあっては、お客がデスティネーションを選ぶ基準は、特定の場所や住民の環境の属性よりもむしろ安さや便利さとなっている」(Laws, E., 1995)

デスティネーションを選ぶ基準が「安さ」や「便利さ」になっている。これは典型的なコモディティ化現象だ。「商品」としての地域は消費する対象であり、愛する対象ではないので、同じように見えるのならば、より安く便利な方にスイッチしてしまうというわけだ。

観光地の競争力には持続可能性も重要

だが、コモディティ化が進むなかでも独自の魅力で高い競争力を獲得しているデスティネーションは存在する。このような競争力はどのように生まれるのか。その課題に応(こた)える形で誕生したのが、デスティネーションの競争力研究である。これに関しては、様々な研究が存在しており、今も決定版はないとされるが、最も評価され、一つの基準となっている競争力研究はRitchie and Crouch（2003）である（Pike and Page, 2014）。

Ritchie and Crouch（2003）は、デスティネーションの競争力を支える二つの柱として競争優位性と持続可能性を指摘した。この二本の柱はどちらか一方だけでは不十分であり、互いに不可欠で支え合うものであるという。どれほど強い競争力を持っていたとしても、それが持続可能なものでなければ、所詮(しょせん)は一時的な競争優位にすぎない。持続可能性は長期間にわたる経済競争の中で優位になるために必要なのだ。

では、デスティネーションの競争力とは具体的にどのような構成要素から成るものなのだろうか。Ritchie and Crouch（2003）は競争力の源泉は一つではなく、様々な要素によって構成されるシステムのようなものだと考えた。その全体像は八七頁の図のようになっている。

本書の関心からすると、注目してもらいたいのが、「コア・リソース&アトラクター（core resources and attractors）〔以下、コア・リソース〕」という項目だ。日本語では「中核資源と魅力」という翻訳もされている。

この構成要素は、デスティネーションに人を引き寄せる魅力を意味している。つまり、観光客はコア・リソースに魅力を感じることで観光地へ来訪する。競争力という意味では、コア・リソースが他地域と差別化されており、魅力的な価値であると観光客が判断した場合に、自分のデスティネーションに観光客を誘引することができる。多くの場合、デスティネーションの最も強力なコア・リソースが地域空間ブランドの源泉となることが多い。

例えば、京都は歴史文化のあるまちとして人気があるが、これはコア・リソースの歴史文化を中心にして競争力が構築されていると考えられる。そして、京都の地域空間ブランドもまた歴史文化によって支えられている。

このように地域ブランドを作り上げていく際には、観光客を引き寄せている自らの地域のコア・リソースを見極めることが重要となる。Ritchie and Crouch（2003）によるとコア・リソースは七つ存在しているが、その中で脱コモディティを実現するものとして期待されているもの、それこそが歴史文化だ。

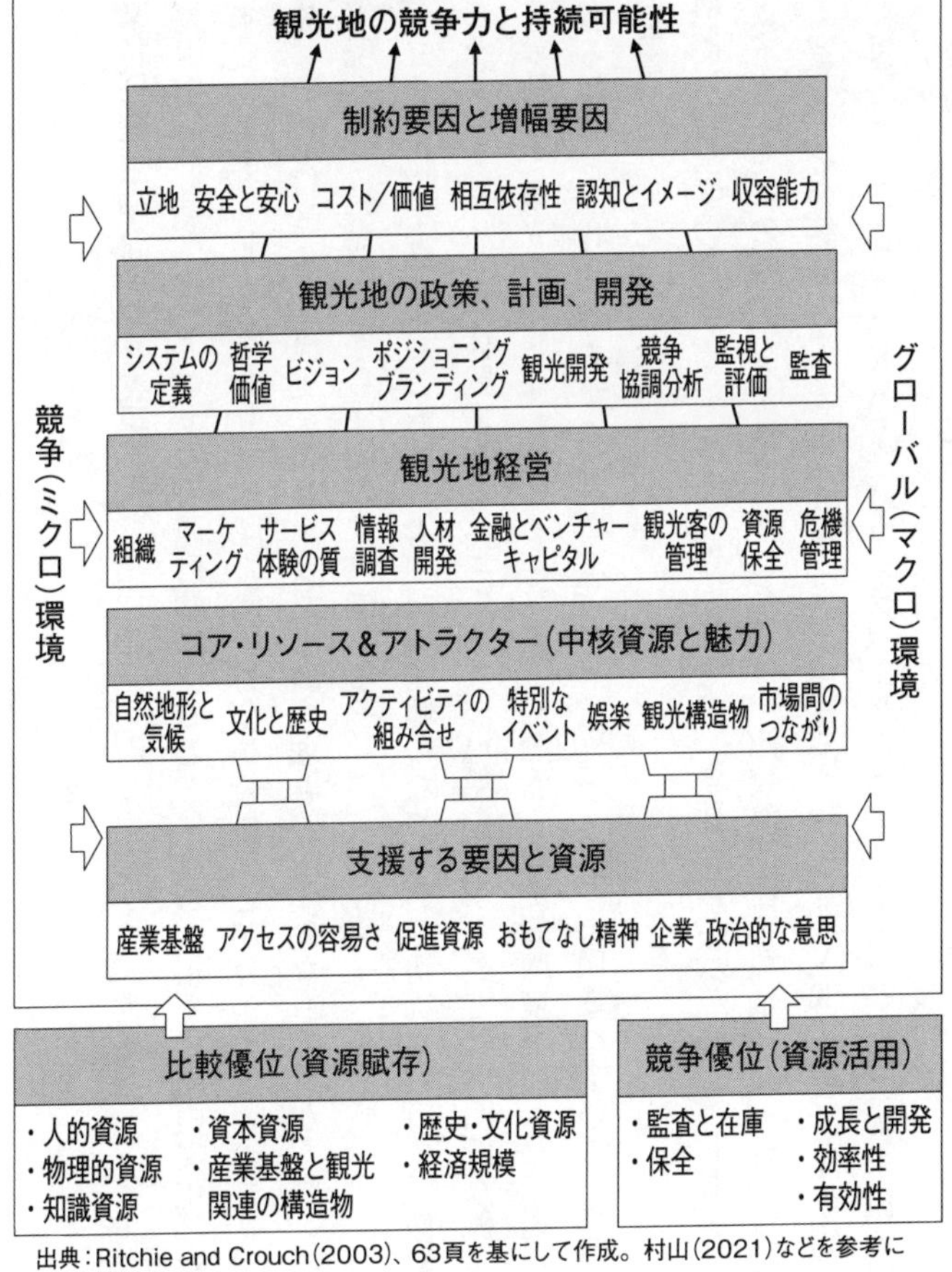

出典:Ritchie and Crouch(2003)、63頁を基にして作成。村山(2021)などを参考に筆者翻訳

歴史文化は脱コモディティを実現する

長い説明をしてきたが、ここで本書の目的に戻ることになる。まず、歴史文化は観光客を誘引するコア・リソースであり、地域の競争力を高めることが分かった。つまり、集客力がある。それだけでも、歴史文化は重要だという理論的説明になるのだが、脱コモディティの実現という視点で、さらに注目されている。

コモディティ化によってどこも同じような観光地になっている状況において、他地域とは異なるライフスタイルを体験できるユニークな環境を提供することは、明確な競争力を生み出す。特に、観光客が居住しているエリアと対照的な歴史的環境を提供した場合には、記憶に残る体験となり、明らかに優位に立つことができると指摘されている（Wang and Pizam, 2011）。

その根拠は経営学の理論からも導くことができる。Pike and Page（2014）は持続可能なデスティネーションの競争力を維持するためには、比較優位性の源泉となる観光資源が必要であるとし、その評価方法として経営学者の Barney, J. B. のＶＲＩＯフレームワークを提唱している。Barney はＲＢＶ（リソースベースドビュー）と言われる企業の経営資源

デスティネーションにおける内部資源分析のフレームワーク（VRIO）

1. 経済的価値はあるか
経済的な価値を有しているか （収益向上もしくはコスト削減に寄与するか）
2. 稀少性はあるか
他のデスティネーションと比較して稀少なものであるか
3. 模倣困難性はあるか
他のデスティネーションが模倣できないものであるか
4. 組織は適切か
魅力を最大化するための組織が存在し、 適切に運営されているか

出典：Pike and Page（2014）、209頁を基にして筆者作成

に基づく戦略論の世界的第一人者であり、企業の内部資源を評価するフレームワークとしてＶＲＩＯという考え方を発表した。
（註：ＶＲＩＯは、経済的価値【Value】、稀少性【Rarity】、模倣困難性【Inimitability】、組織【Organization】の頭文字四つをとったもの。Barneyは企業の競争力分析をする上で、この四つの視点で分析するというフレームワークを提唱した。それがＶＲＩＯフレームワークである（Barney, J. B., 2002））

Pike and Page（2014）によれば、ＶＲＩＯフレームをデスティネーションの内部資源に当てはめると上の表のようになる。

Barneyは「独自の歴史的条件（unique historical conditions）」という視点で歴史の強

みを説明している（Barney, J. B., 2002）。これは、ある内部資源が歴史的条件によって形成されていることを指す。Barney は「いったんその時点や歴史が過ぎ去ってしまうと、その獲得が空間と時間に依存する経営資源を持っていない企業は、著しいコスト上の不利にさいなまれることになる。なぜならば、その経営資源を獲得するには過ぎ去った歴史をもう一度再生しなければならないからである」と説明する（Barney, J. B., 2002）。

このことを経営資源における時間圧縮の不経済（time compression diseconomies）という。大前提として、歴史文化は既に起きた過去のことであるため、他地域が創ることはできない。だが、ここで模倣ができないか想定してみよう。例えば、歴史的町並みは建築物であるので、現代の技術で歴史的景観を復刻することはある程度可能だろう。けれども、仮にゼロから作ったとしたら莫大なコストがかかってしまうし、そもそも見た目だけでいっても、時間が創り上げてきた美しさやたたずまいといったものは獲得できない。このように「時間を圧縮」することはできないか、もしくはできたとしても莫大な金銭的、時間的なコストがかかるため難しい。事実上、模倣不可能なのである。

また、この考えは単に建築のような有形資産のみではなく、歴史の中で育まれてきた無形資産にも該当する。例えば、伝統工芸の担い手や地域の祭礼を成立させている地域コミユニティなどは目には見えない運営ノウハウ、広くは地域の気質といったものを有している。これらは長い時間をかけて地域の中で育成されてきたものであり、一朝一夕には構築できない。

歴史は差別化戦略となる

もうひとつの「稀少性」についても歴史文化は親和性が高い。まず、Barneyの稀少性の評価軸を確認しよう。それは、「どのくらい多くの競合企業が、その特定の価値ある経営資源やケイパビリティ（久保詿・優位性、強み）をすでに保有しているだろうか」というものである。観光でいえば、そこにしか存在しない動植物がある地域などは稀少性をもっているといえよう。そして、本書の関心からいえば、稀少性を付与することは脱コモディティを達成する方法ともいえる。

しかし、実は観光における稀少性は見た目だけで分かるようなものは意外に少ない。例えば、ある建築物があったとしても稀少性があることを判断するには、建築に関する知識が必要になる。そのため、多くの観光雑誌は写真のみならず、その解説がついているはずだ。現地のガイドによる説明で、「そんな貴重なものだったのか」と感じた体験がある人も多いだろう。すなわち、観光客に稀少性を感じてもらう時に重要なものが「知識」なのである。

観光シンクタンクである公益財団法人日本交通公社は、「物見遊山の周遊型観光が中心であった時代から、現在は『見る』だけでなく、『体験する』ことにも観光活動の範囲は広がっている。／また、直感的に認識できる『感性』的側面だけでなく、その背景にある歴史や生活文化等の『知性』的側面へと興味関心が広がってきた」（中野文彦・五木田玲子、二〇一四）と分析しており、観光における知識の重要性が増していることを指摘している。そして、この知識の代表格が歴史文化だ。歴史による説明は地域の独自性を強化し、ここにしかないという気持ちを観光客に生み出す。すなわち稀少性を付与する源泉となる。

例えば、江戸時代では一般的な武家屋敷があったとしよう。仮にその武家屋敷が当時としては一般的なもの、稀少ではないとしても、その場所で歴史的なイベントが行われていたという説明があれば、その屋敷には日本で一つしかない稀少性が付加される。さらに、観光客もこのような経験を重視し始めているわけだ。

このことは歴史文化のみならず、自然やイベントといった他のコア・リソースにも応用することができる。例えば、地域の自然が極めて一般的なものであったとしても、その自然と地域の関係について歴史的に解説することで、他にはない稀少性を生み出し、付加価値を高めることが可能だ。この手法は地域ガイドのみならず、まち歩き系のテレビ番組などでも積極的に活用されているが、その理論的背景はこのようになる。

実際に、高い評価を受けている自然資源の中には歴史文化と結びついて総合的な経験を生み出しているものが多い。観光学者の溝尾良隆（みぞおよしたか）氏は、「わが国では、霊山とよばれる山岳、ご神体となる滝や岩石、そしてサクラ、これら自然資源の評価には人文的要素が入ってくるし、逆に、寺社を取り巻く社叢林、庭園に取り込まれている自然などは、人文資源に自然的要素が入ってくる、この点は観光資源の評価のときに考慮すべき課題である」（溝尾良隆、二〇〇九）と指摘している。

このように考えると、歴史文化は文化財などの建築物や歴史的景観といったデスティネーションへの観光集客の目玉になるという効果以外に、観光対象の稀少性を作り出し、地域の競争力を高める効果を持っていることが分かる。つまり、歴史文化は特定のものを他とは違うと認識させる力、すなわちブランディングする力を持つということだ。これは仮に特定の歴史文化がそれ単体ではデスティネーションに来訪させるほどの魅力を現時点で有していなかったとしても、他のコア・リソースなど（例えば、自然資源）との組み合わせから総合的な価値を創造する力を持つことも意味する。

事例検証（小樽・佐原）

ここまで説明したコア・リソースの考えでいくならば、小樽は「歴史文化」、佐原は大祭という歴史性を持った「特別なイベント」を軸にして、地域空間ブランディングを行うことでデスティネーションの競争力を高めていったといえる。要するに、両地域とも歴史をベースにしたブランディングを実施しており、ヒストリカル・ブランディングの事例である。そして、このヒストリカル・ブランディングには他のブランディングにはない独自の特徴も見られる。小樽と佐原を事例にして分析してみよう。

歴史による具体的な差別化

今まで説明してきたように、歴史文化は模倣困難性と稀少性という二つの性質によって、脱コモディティを実現するブランディング効果がある。小樽と佐原はそれぞれ運河と大祭を地域の象徴として感じた住人によって推進された。

例えば、小樽では「運河を埋めたら小樽が小樽でなくなってしまう」という言葉が、佐原では「このままでは、祭りもできないまちになる」という言葉が使われている。運河や祭りがない地域は全国に無数存在しており、なくなっても地域は存続している。しかし、彼らにとってはそうではなかったのである。地域の中で少数派ではあったかもしれないが、既にブランドとして機能していた。

では、なぜこのような事が起きるのだろうか。先の小樽の事例を取り上げた章で研究を紹介した堀川（二〇一八）は、町並みの持つ特殊性を指摘する。それによれば、町並みは単に建築物であるというのみならず、地域社会に固有な環境条件に応じて編み出されたものであり、地域住民の生活が蓄積されたものでもある（堀川、二〇一八）。町並みそのものが住民生活に影響を与えている。つまり、単なる見た目の景観のみならず、そこにある生活を内包しているものなので、地域住民にとって取替不可能なのである。

このように見ると、小樽運河が小樽のブランドになった理由が分かる。小樽運河とは単なる産業遺産ではなく、時代の変遷と共に小樽のライフスタイルそのものを象徴する情景だったのだ。分かりやすくいえば、時間をかけて小樽らしさを最も感じられる場所になった場所ともいえる。私が幼少期から運河を見ることで「小樽に来た」と感じたのは、そこが何よりも小樽らしさによって形成された景観だったからだ。

一方で、特別なイベントを核とした佐原の大祭もまた同様である。江戸時代から熱狂的に佐原の市民に愛されてきた大祭は、時代の中で様々な役割を果たしつつ佐原の象徴になっていた。大祭が大江戸志向ではなく独自の進化を遂げたことは既に指摘したが、それは「江戸優（まさ）り」を志向する町衆たちが運営する中で時間をかけて昇華していったものであり、同時に祭りそのものが住民生活にも影響を与えている。大祭に参加することは佐原でしか体験ができないものであり、祭りに関与すればするほど地域の中に深く入り込んでいくことになる。

小樽運河保存運動のキーパーソンであった小川原格（おがわらただし）氏は、小樽の町並みについて「『こんなもん他所にはねぇぞ、造ろうと思ったってつくれねぇぞ』みたいな、『こんなのコピー出来ねえぞ、札幌で』」という表現をしている（堀川、二〇一八）。

これは、資金力で同じものを作ったとしても地域社会における意味が違うので同じものにはならないということであり、佐原の大祭も同様だ。前述の Barney が指摘した独自の歴史的条件にも合致する。小樽も佐原も「独自の歴史的条件」によって生まれたものを活用しているから、模倣不可能なのだ。

稀少性はどうだろうか。これも同時に歴史によって達成されている。小樽運河も佐原の大祭も、それぞれ歴史的価値を見出す研究調査を実施することで、それぞれが持つ独自性が明らかになり、歴史的価値が評価された。その結果、他にはないものとしての価値も付与されている。まさにＶＲＩＯフレームワークでいう稀少性に当たる部分であろう。見た目だけでは分からない、運河と大祭の稀少性を歴史によってより深く証明できたわけである。このように、両地域のコア・リソースは模倣困難性と稀少性が歴史によって構築されている。

戦略のコアとなる

歴史がブランドになると、他地域との差別化が可能になる。しかし、それは必ずしも歴史文化による集客というメリットだけを指すわけではない。小樽においては運河を、佐原においては大祭を核（コア）にした観光がまちづくりのエネルギーとなり、発展へのドライブになっている点も重要だ。これは、佐原における「大祭をまちづくりの出発点にする」という考えと一致する。

例えば、小樽も佐原も観光のコアが決まってからは、それをより魅力的に見せるためのインフラ整備が実行されている。小樽であれば運河周辺のガス灯を含めた散策を快適にする整備や、運河の臭気問題の解決。佐原においては、歩道橋の撤去や町並み保全、本書では詳細には触れていないが小野川の清掃、山車（だし）の運行を容易にするための電線の移動といったものだ。このインフラ整備はコア・リソースの一つである観光上部構造（観光インフラ）を強化しているだけではなく、地域空間ブランドの源泉となるコア・リソースを強化する形で発展しているということが重要だ。

こうしたブランド強化に繋（つな）がる連携が上手（うま）くいった背景の一つに歴史をブランドのコアにしたことがある。先に紹介したKrippendorf（1971）は、観光地ではある企業のマーケティング活動が、別の企業のマーケティング活動を阻害するといったことがありえることを指摘し、それをカウンターマーケティングと呼んでいる。それを避けるには、あらゆる企業にとってメリットになる共通のものを介在させることが効果的だが、歴史文化はその代表である。

佐原の場合には、大祭によるまちづくりと町並み保存が有機的に結びついたことが大きな成功要因と言われているが、大祭も町並みも、共に佐原の歴史という面で共有する要素が多かった。これがもし全く別のロックフェスのようなイベントを核にしていれば、古い町並みはそぐわないとして開発され、不統一な景観になってしまった可能性が高い。

小樽の場合にはさらに顕著だ。小樽は運河によるブランドは成功したものの、市によるグランドデザインがないまま進んだ「意図せざる観光」と指摘される（堀川、二〇一八）。だが、一方でそうしたグランドデザインがない時期が約一〇年続いたにもかかわらず、小樽は運河のまちとして観光に成功してきた。これは、逆にいえば小樽運河を中核としたブランディングは、それぞれのアクターを強制しなくとも、ある程度の統一感を持てた事例である。地域と全く縁もゆかりもないものをブランドのコアにしようとした時には、人々がそのイメージを共有するのはより難しかっただろう。

こうしたイメージの共有は、さらなるブランド強化を促進する。例えば、小樽も佐原も新業態のサービスが次々と誕生しているが、それらは景観を中心にしてブランドの核を阻害しないようにしているものが多い。なぜなら多くの場合、ブランドがしっかりしている観光地に進出する企業は、そのブランドを活用しようとするし、そういうブランドを志向する企業が集積してくるからだ。それはある意味では制約であるが、ゼロから始める新ビジネスが地域ブランドの恩恵を受けることが出来るのはメリットでもある。

特に、近年話題になってきているデスティネーションレストランやデスティネーションホテルといった、訪問目的になる高付加価値サービスになればなるほど「なぜ、この場所にあるのか」という地域性がブランドと強く結びついてくる。その時に、歴史文化を絡めていくことは説得力を強めることになるだろう。

このように強力な地域ブランドが構築された場合、そこに集まる企業や人もブランドを阻害しないような人々になっていく。そして、一貫したメッセージやイメージが発信できるようになり、ブランド価値をさらに高めるという好循環を生み出すことが多い。（註：一方で堀川（二〇一八）は小樽においては、こうした歴史的景観を無視した動きも起きてきていると指摘する。意図せざる観光時代に蓄積された新しい小樽像によって、景観を阻害する現象が発生しているといえるだろう。ここからの動きに注目したい）

インターナルマーケティングを助ける

マーケティングは外部への視点だが、最近観光の世界で注目されているのがインターナルマーケティングという考え方だ。インターナルマーケティングとは、企業でいえば社員向けマーケティングのことだ。自社社員が自分たちの商品を正しく理解し、価値を理解しなければ顧客向けのコミュニケーションにも影響が出てしまう。

ところが、観光ではさらに複雑な構造がある。それは、観光に直接関係がない地域住民にも観光の重要性を理解し、推進してもらうことが必要だからだ。観光を推進する組織自体が意義を理解し、住民に理解してもらえるような行動や施策が必要になる。近年、オーバーツーリズムが問題視されるなか、地域の人たちに観光の重要性を理解してもらうという意味で、インターナルマーケティングは重要性をさらに増している。

インターナルマーケティングは地域ブランディングにとって極めて重要だ。これは私の経験だが、台湾（たいわん）の学生を地域に招いてモニターツアーを実施した時のことである。当初はとても喜んでいると聞いていたのだが、現地で会った時に彼らは少し不安そうな顔をしていた。不思議に思ったが、その夜にはとても楽しそうだったので、ホッとした。だが、なぜ不安そうだったのか、原因を知りたくて一人と話してみた。

「実は、ここに来る前に台湾で日本の学生達と交流したんです。その中に、この土地の出身者がいたので、『どんなところ？』と質問したら、『なんで、行くの？　本当に何もないよ。もっと楽しいところあるのに』と言われたので、すごく不安になった。でも、来たら本当にいいところだったから良かった」

地域でのインターナルマーケティングが失敗すると、地域を離れた人が、知らない所でマイナスのプロモーションをしてしまうのである。地域外の人間がいくら価値があると話しても、地域内に価値を感じる人が全くいないのであれば、それは難しい。実際に小樽や佐原の例を見ても、外部の専門家も参加しているが、運河や大祭の価値を心から信じていた人たちが最初のきっかけをつくり、その後も中心となっている。

実践には様々な方法があり、もちろん歴史だけで完結できるものではない。だが、歴史は特殊な役割を果たすことができる。一つは合意形成根拠である。佐原の例が顕著であるが、地域内対立の際に古文書が対立状況を打破する根拠として働いている。また、小樽においても、運河は単なる施設ではなく、小樽の歴史に重要な役割を果たしたという歴史的評価が運河を守る論理として言論戦の中で展開された。

もう一つは、地域への健全なシビックプライドの醸成に繋がるというものである。郷土愛を育む上で地域の歴史学習は非常に有効な手段として教育現場で実践されている。これと同じように、地域の歴史は地方創生を目指す人たちを勇気づけるものになる。佐原では古文書で大祭が過去に四、五万人もの集客を行ったという歴史的事実を見た時に大祭の価値を再確認した、というエピソードがそれにあたる。

ここで重要なのは、歴史を単なるノスタルジーの昔語りとして語るのではなく、未来に向けて歩き出すためのエネルギーにするということだ。歴史を語り継ぐという行為は、一歩間違えると古い人間の思い出話や時代の異なる価値観を押し付けることにもなりかねない。注意が必要だ。

インターナルマーケティングの具体的な方法については本稿の趣旨とずれてしまうので、これ以上は語らないが、歴史は効果的に活用すれば大きな助けになることが理解してもらえたのではないか。強い観光ブランドを作り、市民がそれに誇りを持てるようにすることはイメージの共有に繋がり、地域にゆかりのある一人ひとりが強力なマーケティングパートナーになる。

例えば、私の両親がまさにそうだった。母は北海道産の食べ物を買ってくると「今日は北海道だから美味しい」と言っていたし、父はスポーツ観戦の際に贔屓(ひいき)のチームや選手がいない場合には、必ず北海道出身の選手を応援した。先にも触れたように、小樽に帰った時には、母は地元の有名な喫茶店である「あまとう」に私と妹を連れていき、女学生時代の思い出話をしながら、いかに「あまとう」のクリームぜんざいが美味しいのかについて語った。それは居酒屋「なると」の鶏(とり)の半身揚げでも同様だ。そして、「他では食べられないよね」と言うのだ。そう、他にはない、ここにしかないもの。小樽はコモディティではなく、特別と語るのだ。食べ物以外でも美しい風景や人柄など、とにかく両親は北海道

（特に小樽）＝いいものという意味で使っていた。「北海道だから美味しい」という言葉は、母にとって北海道がブランドになっていたことを示す非常に分かりやすい事例だろう。

口コミの役割が年々大きくなっている現代では、こういった事はお金では買えない大きな価値になる。時間がかかることであり、目に見える利益が分かりやすく出るものではないが、それであるからこそ他地域が模倣できない強い競争力になりえる。また、こうした観光への誇りは地域住民自身が自地域を観光することにもつながり、直接的なメリットにも繋がるだろう。

ここまでの説明で、有形資源だけではなく、文書記録といった無形資源としての歴史も、差別化を実現する強い武器となる理論的根拠を理解してもらえたのではないか。だが、皆さんの中には、「理論的には分かったのだが、理論と現実は違う。やはり、景観や文化財がなければ難しい」と思う人もいるかもしれない。

その点については、安心してほしい。全国的知名度の景観や文化財がなくてもヒストリカル・ブランディングを実践している地域が存在している。これから紹介する地域での実践は、そのなかでも非常に挑戦的な試みを行っているものだ。

それでは、理論から再び現場へと戻ろう。

コラム一　歴史文化観光を推進しても上手くいかない――失敗の検証その一

ここまで見てきたように、歴史文化は観光地の競争力を高めるものだといえる。しかし、読者の中には次のように思う人も少なくないだろう。

「歴史文化が差別化になるという理論は分かったが、現実には実践しているのに失敗としか思えない事例もある。理論と現場は違う」「いままで、歴史文化振興を頑張ってきたが結果が出ていない」等々。

失敗した事例はどれも似ている

確かに、私はここまで歴史文化を活用することの利点や地域での実践を述べてきたが、歴史を使えば一〇〇%成功するわけではない。そして、そのような「魔法」は地方創生や観光においては存在しない。当然成功もすれば、失敗もする。トルストイは「幸福な家庭はどれも似たものだが、不幸な家庭はいずれもそれぞれに不幸なものである」と述べているが、少なくともヒストリカル・ブランディングにおいては、「成功した事例は、それぞれに成功しているが、失敗した事例はどれも似たようなもの」といった方がいいようなことが多い。本コラムでは、よくある失敗事例を紹介したい。

よくある事例一　地域の新しい魅力として歴史文化をアピールしたのだが……
認知拡大だけでは需要は生まれない

地方創生を目的とした部署に配属となったAさん。Aさんは、地域の新しい魅力を発信しようと考えた。上司からは地域の歴史文化を活用するようにとの指示を受けた。色々と調べた結果、一般的には知られていないが、興味深い歴史的事象を発見した。念のため周囲の人にも聞いてみたが、皆も「へー、それは知らなかった。そんな歴史があったんだ。面白いね」という反応。そこで、Aさんはみんなに知ってもらえれば興味を持ってくれると思い、キャンペーンを実施することにした。

地元紙でも「知られざる歴史」として掲載はされたものの、観光客への誘致などにはなかなか繋がらない。地元企業と連携して地元の木で作った特産品の酒升といったオリジナルグッズを開発したものの、盛り上がりにかけてしまっている。そのため、次の一手が見つけられず、協力してくれていたボランティアの人たちも徐々に減ってきてしまっている。

この事例は、いくつかの地域で私が聞いた内容を基にして創り上げた架空の事例である。Aさんのやり方はいったい何が悪かったのだろうか。その理由について理論を基にして分析してみよう。

まず、この場合、Aさんは興味深い「歴史的事象」を見つけたので、これを知ってもらえれば地域の新しい魅力に繋がるだろうと考えた。この発想は良いのだが、観光という視点でいうと、それだけではもの足りない。なぜかというと、ここでAさんが認知拡大させているのは、単に知識だけだからだ。新しい知識はもちろん知的満足感をもたらす。それによって、友人のように「面白いね」という感想にもなるだろう。しかしながら、「知識だけ」となると離れていても獲得できるし、知ってしまえば終わってしまうのだ。そうなると、訪問動機としては弱い。

また、オリジナルグッズを作ったという記述があるが、ここでは単に地域の特産品である酒升に名前を刻印したくらいのものになってしまっている。歴史的事象と酒升の関連性も存在していない。坂本龍馬（さかもとりょうま）など、既に全国的な知名度があり、一定のファンがついているような歴史的人物であれば問題はないかもしれない。だが、最近発信したばかりでは難しいだろう。そもそも、この歴史的事象に興味関心を持つ人が酒升を欲しいと思うのかどうかも分からない。

これはかなり極端な例にしているが、実際には似たような事例は多いかと思う。単独で集客力があるブランドに育てていくためには、時間がかかる。一朝一夕にはいかないという前提はあるが、この事例はこの実践方法で時間をかけても上手くいかない可能性が高い。

まず、Aさんは歴史的事象を見つけたというが、歴史は過去のことであるから、既にそれが発生してからだいぶ時間が経過している。つまり、もし今回の歴史的事象が認知拡大させるだけで集客できるのであれば、既になっている可能性が高いのだ。前述したツーリズム理論でいうと、流通最大化による認知拡大だけでは上手くいかない状況だといえる。Aさんの事例は、需要創出をしなければいけない状況で、単なる認知拡大というプロモーション施策を実施してしまったので失敗したといえる。やり方次第では、この歴史的事象によって需要創出ができるかもしれないのに、方法論で間違ってしまったのだ。

よくある事例二　歴史的景観を活かした観光によって人はくるのだが……
歴史的景観だけでは消費につながらない

Bさんが住む地域では、歴史的景観が保存された状態で残っていたのだが、今まではそこまで観光振興には力を入れてこなかった。だが、少子高齢化の波は確実に迫ってきている。そのため、まちおこしとして観光振興に本格的に取り組むことになった。いくつかの施設もリノベーションなどの整備を行い、プロモーションを地道に続けた結果、以前と比較すると多くの人が観光でまちに訪れるようになり、まちにも活気が蘇(よみがえ)ったと皆で喜んでいた。

しかしながら、最初の興奮が冷めてみると、人はたくさん来るのだが、各商店の売り上げなどはそれほど上向きにはなっていなかった。団体バスもたくさん入ってくるし、人が来ているのは間違いない。ボランティアガイドの満足度も高いのだが……。この状況を打開するために、芸能人を招いたイベント開催などにも力を入れてきたが、イベントがなければ結局元に戻ってしまう。まちのみんなはイベント疲れもあり、観光に対して批判的な声もあがり始めてしまった。

この事例は、全国の歴史的景観エリアで発生している。ＪＴＢ総合研究所が二〇一九年五月に実施した「「歴史的な建築物がある集落や町並み（重要伝統的建造物群保存地区）」での観光に関する調査」がある。これによると、歴史的な建築物がある集落や町並みの訪問経験は、各年代でバラツキはあるにしても、訪問を目的に旅行した経験が全体平均では約四〇％、「旅行したついでに訪れた」を含めると全世代で六〇％以上は訪問している。この数字だけ見ると、年代による違いはあるとはいえ、やはり歴史的景観が観光において人を惹きつける力を十分持っているのは間違いない。

問題は、来訪した観光客の行動である。次頁のグラフを見てほしい。

はっきりと分かるのは滞在時間の短さ。ほぼすべての年代で七〇％くらいが四時間以内の滞在となっている。宿泊に関してのレポートを見てみても全体の約六八％が日帰り訪問で、約一四％が近隣の観光地や温泉地と地区外に宿泊している。当該地区に宿泊した人は全体の約一九％。当たり前のことだが、観光客の滞在時間と消費金額には強い相関がある。

つまり、Bさんの事例は歴史的景観で集客することには成功したが、消費に繋げる展開で失敗したので、観光目的としては不満が残る結果になったということだ。何を当たり前のことを言っているんだ、と思う人もいるかもしれない。しかし、これは歴史文化の大きな特質の一つである。

先に紹介したように、歴史文化はコア・リソースであり、集客力を持っている。歴史的景観への訪問経験もそれを裏付けている。だが、歴史的景観だけでは見て終わってしまうことが多いので直接消費に繋がらない。歴史的景観の中で楽しめる消費活動が必要なのだ。Bさんの事例でいうならば、訪問動機となるものと消費活動になるものを明確

「歴史的な建築物がある集落や町並み」の滞在時間

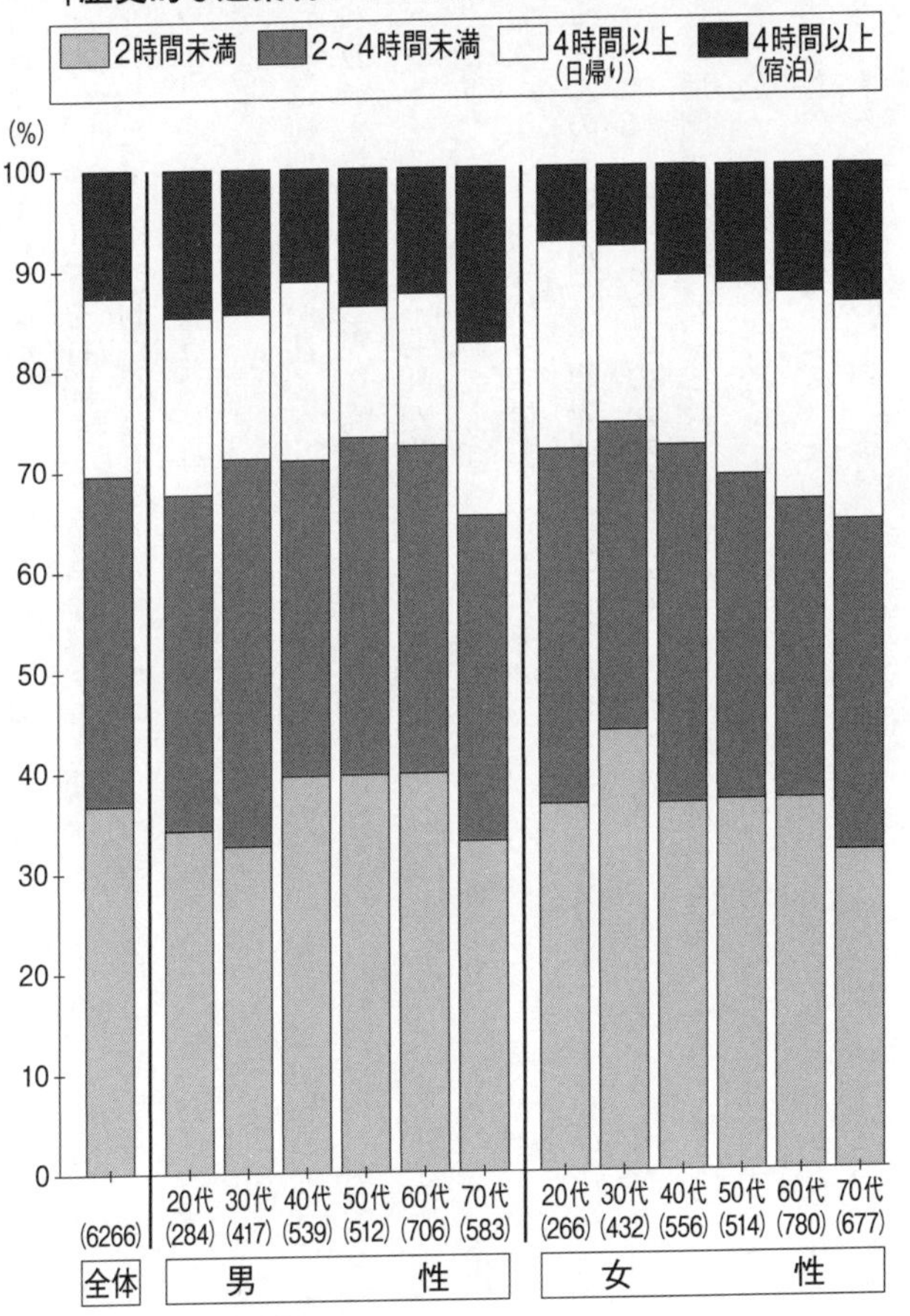

註：(　)内の数字は回答者数
出典：JTB総合研究所(2019)、4頁を基にして作成

に分けて考えていけなかったことが失敗の原因だったといえる。

さらに、この状況を打開するためにイベントを開催したとあるが、内容は芸能人を呼ぶといった集客を目的にしたもので終わっている。地域の観光経験となっているコア・リソースを強化するようなイベントでなければ、それは単なる一過性のイベントで終わってしまう。

これは典型的な一過性イベントで人を集める手法であり、この方法はある種のドーピングのようなもので、やり続けなければ効果が切れてしまう。そのため、次から次へとイベントをやり続ける必要が出るのだが、多くの地域では途中でイベント財源となっていた補助金が打ち切られてしまったり、過度のボランティア運営によるイベント疲れが出てきたりして、終わってしまう事例は多い。

Bさんの失敗事例は、観光客を呼び込むためのコア・リソースと、呼び込んだ後にどうやって楽しんでもらうのかを組み合わせる設計が甘かったことから起きたものだ。これらは目的が違うので、それぞれ検討していく必要がある。

こういう時に気を付けなくてはいけないのは、「結局歴史的景観では儲(もう)からない」という極端な意見が出てきて、それに対して確かにその通りだという声が上がっていくことだ。すると、歴史的景観とはそぐわないが、消費活動に繋がりそうな分かりやすいものを整備しようとしてしまう。この方法は短期的にはお金が入ってくるかもしれないが、コア・リソースの魅力を弱めてしまうため、長期的にはマイナスとなる。似たような施設が隣接地域に建設されたら、それで終わりだ。

　そもそも地域に観光客を呼び込むことが何よりも難しいので、このケースでは歴史はしっかりと魅力的なものとして役割を果たしている。目の前の「数字」に追われて自分たちの魅力の源泉を自ら破壊することにならないよう、注意する必要があるだろう。

第二部　商品開発による地域ブランディング

千葉県横芝光町の大木市蔵と食肉の文化史パネル。地場産業のブランディングに歴史が活用されている

熊本県菊池市の菊池一族のイラスト同人誌「菊華繚乱」。日本最大級の同人誌即売会COMITIAで販売された

第四章　地場産業のブランド化――千葉県横芝光町の大木式ソーセージ

レジェンド・オブ・ソーセージ

ソーセージ。もはや日本で知らない人はいないだろう。インターチェンジや縁日などで食べるフランクフルトはとても美味しい。子供から大人までソーセージは日常的に食べられている。小さい頃に母が作ってくれた海苔弁当には、赤いたこさんウインナーと卵焼きが入っていて、私はそれをいつも楽しみにしていた。食べ終わると、いつも足りないと感じる。いつの日かお金持ちになって、たこさんウインナーを腹いっぱい食べてやる。幼い私はそう心に誓ったものだった。ただ、大量購入できるくらいの年齢になると、ビールのつまみに食べるのは最高だが、そんなにたくさんは食べられない。人間は何ともバランスよくできている。

ところで、赤いソーセージは日本独特のものだそうだ。料理家で作家の樋口直哉氏によれば、赤ウインナーは昭和中期に粗悪な材料を隠すために色付けしたのがきっかけとのこと。そんな時代に比べれば、今は食材のレベルは各段に上がっており、もちろん赤ウインナーも粗悪品ではない。

だが、樋口氏によれば日本の中で「残念な食べ物」の一つがハムやベーコン、ソーセージなどの加工品だそうだ。海外でソーセージを食べると「肉を食べる歴史が長い国はやはり違うな」と感じるという。そして、「旅行先でハムやソーセージは嚙むとしっかりとした塩味と豚肉の風味がきちんとあり、それに比べると日本のスーパーで売られているソーセージは頼りない味と食感の製品が多い」とまとめている。しかしながら、次のことにも言及する。「日本でも百年前の人々はきちんとしたソーセージをつくっていた」と（樋口直哉、二〇二三）。

この「きちんとしたソーセージ」をつくった人物こそが、一八九五年（明治二八）、千葉県匝瑳郡東陽村（現・横芝光町）に生まれた大木市蔵だ。一般にはほとんど知られていないが、後にはじめて国産ソーセージを作り、日本のハム・ソーセージの父と呼ばれる。ドイツ人ソーセージ職人マーテン・ヘルツからソーセージの製法を学び、一九一七年（大正六）の第一回神奈川県畜産共進会に日本ではじめてソーセージを出品した。その後は、東京帝国大学教員や日本ハム・ソーセージ工業協同組合の理事を中心にして、様々な立場で国内外に加工技術を伝えるなど、大きく貢献した。二〇二二年に全農ミートフーズに吸収合併された高崎ハムをはじめ、現在の日本における食肉加工を担う企業の創業者たちの多くは市蔵の弟子である。

市蔵は日本のソーセージにおいては、伝説的な人物の一人であり、まさに「レジェンド・オブ・ソーセージ」なのである。にもかかわらず、これほどの業績を持ちつつも、市蔵は郷土では長い間忘れられていた。だが、この歴史を掘り起こした人たちがいる。

横芝光町は、千葉県九十九里浜の近くにある。いわゆる平成の大合併で生まれたまちだ。総人口は約二万三〇〇〇人（二〇二三年時点）。九十九里平野最大の河川である栗山川をはじめとした自然に恵まれ、農業が盛んなエリアである。畜産も非常に盛んで、町のホームページによると、古い歴史を有する町営東陽食肉センターは県内二位の処理実績を持つという。観光という面ではスポーツ合宿やアウトドアなどが盛んで、最近ではモンベルフレンドエリア（アウトドア用品メーカーであるモンベルが、自然豊かな環境でアウトドアが楽しめるとして認定したエリア）にも指定されている。

町は自らの産業・都市基盤を「農業・工業・商業、そして観光業バランスのとれた発展」（横芝光町、HPより）と説明している。けれども、バランスの良さというのは、「あれもある、これもある」という状態になるため、対外的な認知を目的とするブランドという視点でみた時には、他地域との違いを説明しにくい。つまり、差別化が難しい。

こういう時にこそ、地域固有の歴史を活用したヒストリカル・ブランディングの出番なのだが、その点でも横芝光町は難しい要素を抱えている。匝瑳郡光町と山武郡横芝町が合併して新たに発足したのだが、合併前の光町と横芝町は別の郡であり、歴史的には上総国と下総国という別の令制国ですらあった。こうなると、「横芝光町」としての歴史は極めて浅く、また統一された歴史を紐解くことも難しい。

もちろん、中には既に多くの人の注目を集めているものもある。例えば、国の重要無形民俗文化財である鬼来迎は、地獄の様相と菩薩の救いを仮面狂言にした日本唯一の民俗芸能として文化的価値が高い。実際に多くの人が見にくる。だが、年間を通じて一般的な観光の目玉になるような歴史的景観エリアなどは存在していない。「歴史なんか使ったって、うちでは無理だよ」という認識の人が多いだろう。

このような事例は横芝光町だけの問題ではない。全国で合併が起きた影響で同じような課題を抱える地域は多く存在している。しかし、横芝光町はこの状況から、実に興味深いヒストリカル・ブランディングの事例を生み出している。

一過性でないものを探して出会う

「地方創生やまちづくりとなると、短期的に大きな成果を出すような、ホームランを打つことを考えてしまいがちなんです。その発想だと、地域の歴史というストーリーを使って商品開発するのは難しい。でも、それだと勿体(もったい)ないですよね」

大木式ソーセージ立役者の一人である、横芝光町商工会経営指導員の伊藤一成(いとうかずなり)さんの言葉だ。そして、私が全国で感じていることでもある。伊藤さんのこの言葉を理解するためには、横芝光町の大木式ソーセージ誕生の経緯を知る必要がある。

そもそも、伊藤さん自身も大木市蔵という人物をはじめから知っていたわけではなかった。

「発見した経緯は、モツに関する事業をやっていた時のことです。ご当地グルメにはストーリーがないとダメだよねってことになりまして。そこで、町の食肉センターや歴史を調べるのに調書を見たことがきっかけです」

横芝光町には食肉センターが存在している背景から、モツを食べる文化が強く残っており、町内の焼肉屋でも大人気だ。その背景から、特産品として強化する事業を行うことになり、伊藤さんも参加していた。当時はB級グルメが全盛のころで、各自治体は競ってご当地グルメを創り出そうとしていた。だが、伊藤さんは、そのような状況に疑問を抱いていた。

「ご当地グルメって、地元で親しまれていることが大事なのではないかと思っていました。だから、新しいレシピを作る前に地域性を表現したいなと。ちょっと話題になってすぐ消えてしまうものではなく、しっかりと地域に根差したものにしたい。地域で長く愛されてきたものは、何かしらの理由でその地域に根付いているわけなので、まずはそれを発掘して発信していくのがいいと思ったんです」

伊藤さんにとって、ご当地グルメとは一時的なものではなく、地道だが変わらずに愛されるものであってほしいとの思いがあった。そのため、横芝光町におけるモツの独自性を志向しようとした。そのヒントを探すために行きついたのが歴史だった。

その中で、大木市蔵が横芝光町出身であることを知る。伊藤さんは、まず何より大木市蔵という人物に惹かれた。日本における優れたソーセージ、ハムの製造販売のみならず、東京帝国大学駒場畜産研究会の講師を務め、また国からの要請を受けて全国各地で食肉加工講習会や技術指導にあたりながら多くの弟子を育てた。日本の食肉加工の基礎を作ったのはもちろんだが、その背景にある市蔵の考えにも共感した。

地方によっては雪が降る、荒れ地や山地では作物がなかなか育たない。そういう農村で養豚ができ、さらに加工して売ることができれば農民の所得は向上する。食肉加工を熱心に普及する背景には、そんな市蔵の共栄の精神があった。今でいえば、地域における所得向上のために動いていると言ってもいい。こんな立派な先駆者が埋もれているのは勿体ない。何とか業績を次代に遺せないだろうか。

数多くの文献を調べていく中で、伊藤さんは市蔵の業績を後世に伝える方法として、当時のレシピを使ってソーセージを復刻することに着目する。だが、この時点では特産品を創ろうというほどのものではなく、レシピも残っていることだし、「食べてみたかった」というのが本音だったという。その結果、どんな味がするのか、こんな人がいた、といったまちの歴史をイベント的にＰＲできればいいかというくらいに考えていたそうだ。しかし、偶然にも地域の中で、別の側面からソーセージについての動きが起きていた。

青年部の事業

横芝光町の地域密着スーパーであるフードショップいちはら。元々は町の小さい精肉店からスタートした株式会社いちはらが源流だ。その後、事業を卸問屋と小売りに分社化して、誕生した。当時、二代目社長になっていた市原昌幸さんは悩んでいた。

父が営んでいた株式会社いちはらは元々卸問屋であったが、新規事業としてハム・ソーセージ加工に参入していた。ところが、業績がなかなか振るわず、加工事業部の閉鎖が決定したからだ。事業部が閉鎖すると職人の腕は不要となってしまう。市原さんは職人が日々奮闘する姿を見る中で、何とか事業の継続ができないだろうかと模索していた。

「事業部閉鎖になった時、職人さんの姿を見て、もう一度加工の仕事をやらせてあげたいと思いました。ちょうど、そのタイミングで伊藤さんから大木市蔵さんのエピソードを聞きました。この町に偉大な功績を残したけど、隠れてしまっている偉人がいるんだよと」

そもそも、上手くいかなかった事業を再度行うことは難しく、市原さん自身も明確な戦略を描けずにいる状況だった。その中で、市蔵の話は一縷の希望となるものだった。まちおこしとして大木式ソーセージを復刻することに、加工品事業を軌道に乗せる手掛かりになる可能性を感じたのだ。

「伊藤さんから大木市蔵さんのエピソードを聞いて、歴史は嘘をつかないし、確固たる既成事実があり、そんなに偉大な方がいるなら、これは面白い展開になると思ったんです」

既に設備投資は終わっているため、実行しようとすればすぐにできる状況であったことも背中を押した。伊藤さんが持っていたアイデアと、ソーセージ事業を続けたいと思った市原さん。それぞれの課題意識を大木市蔵という歴史が繋ぐことになった。

期せずしてそのころ、横芝光町商工会青年部には、後に組織を支えていく中心的人物が揃い始めていた。青年部長に就任していた永野貴紀さんは、当時を次のように振り返る。

「これだけの人数がいればなんか面白いことができるんじゃない、という雰囲気があったんですよね。そして、自分が部長になったので、とにかく面白いことをしようと。ステレオタイプの商工会、青年部じゃなくて、自分たちが本当に楽しんで商工会活動ができるようにしたかったんです」

市原さんもメンバーであったことから、伊藤さんは青年部に大木式ソーセージ事業を提案する。話を聞いた永野さんは「大木市蔵氏の功績を巡ることで特産品を開発できるかもしれない。ただ、何よりみんなで何かをするのが楽しそうだ」と思ったという。

　こうして、大木式ソーセージの復刻事業は商工会青年部全体で行う地域事業としてスタートした。

合意形成のハードルを越える

　大木式プロジェクトは発足したものの、商工会青年部という組織の構造上、様々な職業の人が存在しており、誰もが加工業に詳しいわけではなかった。さらに、活動はそれぞれの本業をやりながらであり、時間も限られる。多くの地域がまちおこしを推進しているが、まちの皆が一つのプロジェクトを一丸となって行うことは、とても難しい。

　特に、特産品を開発するとなると、利害関係者が多くなるだけではなく、皆がそれぞれの意見を持っているため、合意形成のハードルもあがる。今までのまちになかったものを作ろうとなると、「なぜこの商品なのか？」から始めなくてはいけなくなる。そうなると、期限が決められた事業の中で実践していくのは難しい。

　だが、大木式プロジェクトはこのハードルを乗り越えている。大きな理由の一つに、この事業が地域の歴史に関わるものだったことがあげられる。

「（歴史による）ストーリーは後付けできないので、それがそろっていたのがすごい。自分たちでこねくり回さなくていい情報があった。後で付加価値を付けなくてもよかった。もうはめるだけでよかったのは、すごく楽でしたよね」

実際に、永野さんはこのように語ってくれた。

指導員として関わりながら、大木式に関する文献調査を精力的に進めていた伊藤さんも「まずは、レシピがあってその通りに作ればいいだけという話でしたからね。地図があるのでゼロからやるのとは違いました」と表現しており、関係者の中で他の新規事業に比べて参加しやすい、やりやすいという意識を醸成できていたことが分かる。さらに、食べ物であるのも良かった。試作品がどんどん良くなることを、皆で分かりやすく実感できたのだ。

こうしてソーセージという「モノ」の復刻事業を進めながら、青年部はそれだけに止（とど）まらない動きもおこしていた。それが市蔵の功績を巡る全国行脚（あんぎゃ）の旅である。

経営者が育つ

前述したように、市蔵は全国に弟子を持っており、現在もその後継者たちが精肉加工を続けている。青年部はレシピを復刻するのはもちろんだが、「受け継がれた技術と当時のエピソードを掘り起こす」（わかしお、二〇一四）ために市蔵の弟子が開いた店を訪ねる全国視察を開始した。いわば、大木式ソーセージの過去と現在を繋ぐストーリーを掘り起こそうとしたわけである。視察先は市蔵が修業を開始した横浜（よこはま）からスタートし、宮城、姫路（ひめじ）など全国各地にわたった。

本来、技術は企業にとって重要な競争力であり、他人に簡単に見せるようなものではないのだが、どの企業も大木市蔵氏を顕彰するためならば、と前向きに協力してくれたそうだ。永野さんによれば、次のような雰囲気だった。

「もう本当にウエルカムな雰囲気でしたよ、どこに行っても。しょうがないかではなく、嬉（うれ）しいって思ってくれていることを感じました。若い人たちが、ちゃんと掘り起こしてくれてるんだと」

この視察は、市蔵の精神がどのように各地で息づいているのかを感じさせた。その土地ごとの食文化となっていることを体験できたことは、「我が横芝光町が日本の食文化の歴史に於ける重要な土地であり、町営の食肉センターを抱えている必然性が浮き彫りになる（わかしお、二〇一四）と意欲を新たにすることともなった。

青年部として取り組んだことで、思わぬ成果も挙がってくる。まず、皆は活動自体が楽しかった。まちおこしという目的はもちろんあったが、永野さんの言葉で言うと「いい年こいて文化祭ができる」という楽しい活動だったそうだ。加えて、この事業は単なる楽しいレクリエーションではなく、学びの場でもあった。一つの事業を進めていく中で、自分の会社経営だけでは分からない視点や考えに触れることになり、地域に根付く経営者として成長していく実感を持つことができたのだ。

そもそも、青年部に所属している時点で、地域に何かしらの貢献がしたいという気持ちが強いメンバーだった。そんな彼らにとって、地域の歴史は自分事として捉(とら)えやすい。他地域で郷土の偉人がいかに素晴らしかったかを語られたことが、自分たちと地域の関係を考えるきっかけにもなったのである。

「ソーセージの日」を制定する

こうした活動を通じて、青年部の勢いがますます高まっていく。そして、物事が上手くいくときはすべてのことが「ハマって」いく。千葉県商工会青年部連合会による主張発表大会で、大木式ソーセージ事業での経験を語った市原さんが最優秀賞を獲得し、関東大会に出場したのだ。これにより、大木式の名前が商工会員にも広がるとともに、横芝光町の青年部は勢いがあるというPRにもなっていく。すべてがリンクされて、良い方向に流れていくことで、とてつもないエネルギーが生まれていった。当時の様子を永野さんは次のように表現している。

「あそこまでの勢い、ブーストがかかったのはすごかったですね。物事ってこういうふうに膨れ上がっていくんだと、そのプロセスを一番そばで見ていたのは、すごく面白かった。訳分かんないですよ。(スーパーマリオの)スーパースターを取ったみたいです。無敵感に満ちている、何をやってもハマっちゃうところがありました。努力している感じがない。誰も無理をしてなくて、できる範囲でやっているんだけど全部ハマっちゃう」

この勢いのまま、大木式ソーセージをイベントで復刻するところから、町の特産品にしていく気運が高まる。それどころか、横芝光町ならではの特産品、それもストーリー性を含んだブランド商品として発展していくことになる。

調査の結果、時代の変遷の中で大木式ソーセージはレシピが変わっていったことを把握した。それらのレシピを試しながら、現代でも美味しいと思うものを作る。こうした試行錯誤の結果、ついに商品として誕生した。

大木式ソーセージはまちおこしから作製されたという点もあり、様々なメディアからの取材要請や、各種の賞を受賞するなど話題性を作り上げた。さらに、地域の歴史という特性から、地元における食育事業としてソーセージ作り体験を生み出すなど、単なる一製品ではない広がりを見せていく。なかでも、最もユニークな取り組み実績は、市蔵が日本初の国産ソーセージを品評会に出品した一一月一日を日本記念日協会認定の「ソーセージの日」として制定したことである。

日本記念日協会による認定をもらうためには、正確な裏付けが必要となる。市蔵が品評会に出した一一月一日が本当に正しいのかどうか、そしてそれが本当に日本初の国産ソーセージであったのか。これらの歴史を丹念に調査し、提出した。また、申請前に業界団体へも挨拶(あいさつ)に赴き、申請の正当性を担保してくれるように交渉も行った。なぜ、これほどまでに丁寧にやったかといえば、伊藤さん自身の中で「歴史、それこそ国産ソーセージが品評会に出された初めての日という事実を、ちゃんと食べ物の歴史の中に残しておきたかった」からだ。

その一つの手段として、大木市蔵WEB記念館というホームページを立ち上げている。ここには大木式プロジェクトで収集した膨大な情報の中から、市蔵とソーセージの歴史を調べたいと思った時に必要となる情報が掲載されている。記念館を作ることは予算的に難しいが、残すという意味ではWEB上も同じだと考えたのだ。ホームページには横芝光町の情報も掲載はされているが、あくまで市蔵との関連の中で制作されており、歴史を残すという目的に基づく設計になっている。

大木式商品の広がり

さらに、商品としての大木式ソーセージが誕生すると、それを受けた新しい魅力づくりをする地元事業者の動きも現れはじめる。食品の強みの一つに、多様なレシピ開発がある。ソーセージはそのままでも十分美味しいものだが、様々なレシピにも応用ができる。ソーセージを活用した新しい町の目玉料理を作っていき、それを地域内で提供できないだろうか。fu~fu~cafeを営む小林幸夫（こばやしゆきお）さんと田北淳子（たきたじゅんこ）さんはそのように考えていた。すると、面白い資料が発見される。

日本発祥であるナポリタン。発祥については諸説あるが、有力説の一つは横浜のホテルニューグランドが作ったというものだ。そして、このニューグランドと大木市蔵の会社との間に取引があったという資料がある。つまり、ニューグランドで大木市蔵の商品が使われていた可能性があるのだ。

小林さんと田北さんは、この事実を知り、大木式シリーズを使ったナポリタンを開発するために動き出した。まずはとにかく本場に行こうと、ニューグランドゆかりの横浜の老舗洋食店へと視察にいく。扉をあけると、緊張感がそうさせたのか、二人には店主は気難しい人にしか見えなかったそうだ。目的を告げることなく、普通の客として注文する。到着した皿を真剣に見つめ、こそこそと話し合いながら食べる二人。店主からすれば、普通のお客さんとは明らかに様子が違う。一言で言えば怪しかった。

食後、洋食店の店主から「どうだ、うちのナポリタン美味かったか?」と話しかけられたそうだ。二人はドキッとした。しかし、質問された以上はもう言うしかない。「こうなったら、仕方ないから全部素直に話しちゃえと覚悟しました」。小林さんは素直に伝えた。大木市蔵の話、市蔵とニューグランドとの間に取引があった話。まちおこしのために、大木式ナポリタンを作りたい。とにかく必死に話した。すると、店主は「うちの作り方を教えてあげるよ」と言ってくれたのだ。その結果、生まれたのがfu~fu~cafeのナポリタンである。

このナポリタンは、パスタではなく、ナポリタンを食べていると感じさせる一皿だ。麺はアルデンテではなく、もちもちとした食感である。これは、元祖ナポリタンが当時の日本人の味覚に合うように、うどんをモデルにして作られたことに起因しているが、そこにオリジナルの味付けを加えており、新しくて懐かしいナポリタンに仕上げている。歴史に基づいてはいるが、復刻ではないオリジナル料理としての看板メニューである。現在でも、このナポリタンを目当てに遠方から来店する人もいるそうだ。

生じたズレを自覚する

こうして、大木式ソーセージは横芝光町の特産品として知られるようになったが、すべてが順調にいったわけではない。前述したように、青年部の中で起きた圧倒的なエネルギーは、一気に商品化まで引き上げ、広報的にも大きな成果を挙げた。だが、復刻するだけではなく、特産品として継続していくことは別の大きな困難をもたらす。もともとはイベントPR的に始まった事業が途中で商売に変容していく中、それぞれの目的認識の相違からズレが生まれ始めた。当時の様子を永野さんが語ってくれた。

「個々の認識として、どこまでが自分たちの正解なのか、すり合わせができていなかったのはあるかもしれません。商売として成功というのはどこなのか。マイルストーンの置き方が共通認識としてなかったんじゃないかな。そこまでは求めていない人と、そこをやらないと成功じゃないという人のズレがあったと思う」

様々な人たちの溢れるエネルギーは、方向性が見えないようになると、マイナスの方向にも向けられてしまう。考え方の違いが大きくなっていき、「ギクシャク」した状況が生まれてきてしまった。商品化していく中で生じたこの分裂は修復できないまま、プロジェクトは当初の勢いを失ってしまう。結果、初期メンバーの数名は抜けてしまうなど、活動は落ち着いたものへと変わっていった。

現在、大木式商品は地道に販売を続けているものの、一時的に生産を中止するなどの困難が生じている。大木式は単純な成功談ではなく「失敗と言う人もいる」ものだ。では、大木式プロジェクトは「失敗」なのだろうか。それは大きな間違いだろう。なぜなら、まだ終わっていないからだ。

未来はひっそりと始まる

大木式の復刻プロジェクトの段階では関与していなかったものの、広がっていく中で価値を感じ、様々な立場から、それを支えようとするメンバーも現れはじめている。プロジエクトは空中分解したのではなくて、変化しながら現在も存在していると考えた方がいい。実際に、伊藤さんは大木式をやってきて良かったという評価をしているが、それは次のような言葉に集約されている。

「残そうという人がはっきり出てきたことかな。苦境になっても、ちゃんとコツコツやっていることが大事だよね。まちおこしとは思わないですよ。ただ、まちの良いところを伝えていくので、『まち残し』というか。マラソンと同じだと思っています」

また、近年では大木式をベースとして新しい動きが起きはじめている。例えば、もっとも象徴的なものは「GOOW」ブランドだ。豚肉が美味しいまちというイメージを強化していくための試みとして、町内の飲食店などと連携しながらイベントを行いつつ、GOOWブランド認定店舗や商品開発などを実施している。豚肉が美味しい地域は千葉県だけでも数多く存在している。その中で、なぜ横芝光町なのか。その理由として、大木式は機能している。実際に、メディア掲載される際に横芝光町と畜産の関係が描かれる時には、大木市蔵の名前が使われることも多くなってきているそうだ。

さらに、大木式がもたらしたのは地域のブランドになる商品だけではない。プロジェクトは、地域志向の経営者たちを育成、成長させる場になっていた。永野さんはプロジェクトの価値を次のように語る。

「横芝光町の町民として、どうにかしたいという思いはあるものの、じゃあなんのまちだというのが今までなかったわけですよ。自分たちが特産物を作っていくことで、だんだん認知されていくのは、すごく面白かった。すげえことをやっている！　と。製品うんぬんよりも、われわれが商人として成長できた部分が一番のバリューかな。

本来、自分は、なるべく人に会わず、ひそかに何かをしていたい気質なんです。でも、商工会青年部で部長をやらせてもらい、みんなが分かるようになった。それが、自分がやりたかったフェスティバル（※永野さんが主催する音楽フェスティバル「GROOVETUBE FES」）にも、いまつながっている。無駄なことなんか何もないですよ。商工会青年部に入って、初めて横芝光町民になったと思いました」

この地域で商売をする意味。歴史と向き合うプロジェクトだからこそ、それを自然に感じることができ、地域と経営の関係性を重視する形での成長を個々人にもたらした。実際に、大木式に関わった青年部のメンバーの多くが、いまも様々な地域活動の中核的存在になってきている。

例えば、「GOOW」ブランドは、「GOOW フェス」というイベントからスタートしたが、この実行委員長は当時の青年部長である前川京一さん、副実行委員長は同じく青年部の伊藤肇さんだ。そして、コロナ禍に見舞われイベントができなくなった後も、GOOW ブランドを活用した事業は続いており、それを担ったのは同じく前川さんの次の青年部長となった加瀬義和さんである。大木市蔵の歴史は目には見えないが、今も市蔵の精神は地域にとって代替できない人材を創り出し続けている。

　また、大木市蔵の歴史をきっかけにして、外部と横芝光町との関係を深める事象も起き始めている。テレビや雑誌の取材などはその筆頭だが、印象深い事例がある。それは、ある高校の放送部から大木市蔵と大木式ソーセージを軸にした作品づくりをしたいとWEB記念館経由で連絡がきたというものだ。未来を担う若者、しかも地域外の学生たちが、こうした形で地域と出会い、関係性を築いていく。目には見えないし、短期的な利益になるものではないが、将来の力になることは間違いないだろう。外の人を魅了する力が大木市蔵の歴史にはあるのだ。

　伊藤さんは、今後について次のように語っている。

「僕も成功したとは言わないけど、しぶとく残していきたいですね。歴史を残してくれた人はみんな同じ気持ちを持っていたと思うんです。そのバトンを次の人達にちゃんと繋げばいいと思う」

次世代に繋ぐという表現は、大木式が単なる商品開発ではなくなっている証左だ。歴史を受け継ごうという気持ちがある限り、大木式プロジェクトは形を変えて復活し、新たな価値を創造していくことだろう。復刻イベントから商品開発へと展開された大木式は、今は人材育成やイベントといった形で発展している。まちのコアとなるコンセプトをつくる事業の始まりだったといえるかもしれない。

力のあるブランドは何か一つの製品を作って終わりではなく、様々に変化し続ける活動が生み出す流れのようなものだ。未来には未来の大木式が生まれるだろう。いや、もしかしたら、もう始まっているかもしれない。未来はいつだって、ひっそりと始まる。

第五章　ファンコミュニティによるブランディング
――熊本県菊池市の菊池一族

九州の首都を宣言した地域

「我々の土地こそが首都であると宣言する！」

この言葉をもしネットで見つけたら、まずは、新しい漫画や映画かなと思う事だろう。

だが、この〝攻めた〟メッセージを掲げた地域が九州に存在する。

それこそが、熊本県菊池市。「菊池市は九州の『首都』を宣言いたします！」とのメッセージをネット上で発信し、その様子は熊本日日新聞で「菊池市は『九州の首都』何でそんな宣言を？」（熊本日日新聞、二〇二一年二月一一日）として取り上げられた。

もちろん、これは「反乱」ではない。菊池観光協会が官民連携で実施したプロモーション施策「菊池ファンクラブ」の中で発信されたものだ。だが、これは単なる思い付きでもない。菊池は本当に九州の首都になってもおかしくはなかったのだ。

約六五〇年前。日本の中世、南北朝時代の菊池は九州の首都と言っても良いくらいだった。当時、九州を統一していたのは南朝の懐良親王と親王を支える侍集団「菊池一族」一五代棟梁菊池武光。九州を征した漢達の拠点こそが菊池だった。九州の首都宣言は、その歴史を背景にして発信されている。

菊池市は、いま官民が連携してこの菊池武光を含めて二四代続いた武家集団である菊池一族を積極的にプロモーションしている。このやり方が実に尖っている。一四三頁の写真はかつての市役所での様子だが、完全に別の会場のようだ。

先ほどの菊池ファンクラブにイラスト化。これらはプロモーションのほんの一部だ。こうした多種多様な菊池一族のプロモーションを地域事業者と一緒に推し進めているのが、菊池市役所内にある「菊池一族プロモーション室」（当時。二〇二二年四月より菊池プロモーション室・菊池一族プロモーション係に変更）だ。

「プロモーション室の概要ですか？　それは一番難しいですね。自分でも、まだよく分かっていないというか……」

プロモーション室担当（当時）の野中英樹さんは部署についてそう語る。実際、業務は非常に多岐に渡っている。生涯学習企画、冊子等の啓蒙資料作成、小学校への出張授業、イベント企画、ポスター等の作成、SNS運用。果ては、一族ゆかりの事件の演劇公演など。「菊池一族のプロモーションをしている」以外の表現が見つからない部署だ。では、なぜこのようなユニークな部署が誕生したのだろうか。

熾烈な競争

その前に、簡単に菊池市について説明しよう。菊池市は熊本県北部を流れる菊池川流域にある地域である。戦後から何度も市町村合併や境界変更を繰り返しながら、現在の行政区域は二〇〇五年の合併によって誕生した。阿蘇市にも隣接していることから分かるように、自然が豊かな地域である。観光としては菊池渓谷と菊池温泉が有名で、菊池温泉は二〇一一年には名湯百選に選出されており、とろりとした湯は肌がつるつるになるということから、美肌の湯や化粧の湯という表現もされている。菊池渓谷は毎年夏と紅葉シーズン

市役所の外と中に設置された菊池武光のイラストやパネル

には多くの人出でにぎわう。

だが、長期的な傾向で見ると菊池市の観光客数は減少しているのが現状だ。市がまとめた数字によると、二〇〇七年の約三九八万人をピークとして観光客は二〇一〇年に約三〇六万人と九〇万人以上も減となっている。宿泊客数でみると、二〇〇七年には二二万五〇〇〇人だったのに対して、二〇〇八年以降は一〇万人台で推移しているという。また、他地域と同様に少子高齢化も急速に進んでいる。観光客を含む関係人口を広げていくことは菊池市にとっても重要な課題となっている。（註：二〇一八年にはインバウンド需要もあり、約三五〇万人の訪問客を達成した）

関係人口を拡大していくためには、何かしらの方法で菊池市との接点を作っていく必要がある。

しかし、観光に関していえば菊池渓谷は冬には客足が途絶えてしまい、通年活用できるわけではない。温泉も存在しているが、九州には温泉を売りにした全国的知名度を誇るエリアも多く、熾烈な競争にさらされている。

その解決策として、通年で菊池を訪れてもらうための新しい魅力を創出することが模索されていた。そこで注目されたのが歴史文化であった。もともと菊池は豊かな歴史文化を有している。その地名の淵源は諸説存在しているが、菊池一族からという説もある。

先に説明したように、一族は南北朝時代に九州統一を果たす。室町時代には薩南学派の祖である桂庵玄樹が儒学を説くなどの文化的発展を遂げ、江戸時代には熊本藩最大のコメの積出港として栄えた。菊池米は、当時の大坂堂島の米相場を決定する基準にもなったと言われている。

菊池の歴史のなかでも、最も特徴的なものが菊池一族だった。だが、大きな課題も存在している。一族が活躍したのは中世ということもあり、景観や建築物は他の歴史文化観光を振興する地域と比較すると、わずかしか残っていないのだ。プロモーションにも工夫が求められることになる。

野中さんはもともと広報を担当しており、町全体のプロモーションに取り組んでいた。

菊池市が発行している「広報きくち」は、熊本県広報コンクールにおいて六年連続グランプリを受賞するなど高い評価を得ているが、野中さんはその立役者の一人だ。そんな野中さんは、江頭実（えがしらみのる）市長（当時。二〇二三年現在も任期中）から「生涯学習課で菊池一族に特化したプロモーションをしてほしい」とのミッションを受ける。江頭市長は、菊池一族の歴史文化資源を活用したまちづくりを推進したいと考えており、その中での抜擢（ばってき）だった。

これが菊池一族プロモーション室誕生前夜の始まりである。

ただ、ミッションを受けた野中さんの心は複雑だった。

「私はまちの全体的なプロモーションをやりたかったんですね。そのため、菊池一族に特化されてしまうことに、だいぶ戸惑いはありました」

野中さん自身も、当時はそれほど一族について知っていたわけではなく、本音をいえば「無理難題を投げられた」という心持ちだった。

異動先であった生涯学習課の中には文化振興係という部署があり、そこでは市の歴史文化資源の振興と保存継承が行われてはいた。しかしながら、それはあくまで啓蒙と保存に関する活動であり、「魅力化して発信するような取り組みや観光との連携とかも全然無い状態」であり、野中さん自身も「これからどうすべきか、先が見えていない」状況だった。

実は、私が野中さんに初めて会ったのは、この生涯学習課に彼が移ったタイミングであった。私の記憶でも様々な意見交換は行ったものの、この段階では「先が見えていない」という印象だった。

暗中模索ではじまったプロジェクトだったが、野中さんは生涯学習課の仕事と兼務しながら市内の認知度調査など活動を開始していった。だが、文化振興担当というわけでもなかったので本格的な活動にまでは至らない状況が続いていた。そうこうしているうちに、やっぱり専門の部署が必要だろうという話になり「じゃあ、菊池一族のプロモーションに特化した専門部署をきっちりと作ろう」ということになる。こうして、「菊池一族プロモーション室」が誕生した。

さて、ここでもう一人の人物を紹介しなくてはならない。それが佐伯明日香（さえきあすか）さんだ。

異例の異動から生まれた企画

佐伯さんは、現在プロモーション室が推進している一族のイラスト化のアイデアを最初に実現させた立役者であり、一個人としても熱狂的な一族「推し」の人だ。プロモーション室はサブカル領域との親和性が高い手法を採用しているが、それは佐伯さんの存在なくしては実行できない。しかし、いまでこそ熱烈な一族愛を語る佐伯さんだが、知ったのは生涯学習課に異例の異動となったタイミングだった。

「『生涯学習課に来たんだから、ちゃんと菊池一族を勉強してね』って言われました。しかも配属先が文化振興係。この部署は、発掘が専門の学芸員さんで固められている部署なんです。私は学芸員採用ではなくて事務職員。もちろん、発掘は未経験。周囲からもなぜ？　と言われた人事でした。でも、入ったからには勉強しなくてはいけない。発掘は専門家がいるので、私は発掘以外を頑張ろうと。そこで民俗学の文献などを読み始めて、出会ったのが菊池一族でした」

仕事として初めて菊池一族に触れたわけだったが、読み進めるうちにその魅力に圧倒されるようになる。まず、何より生きざまが「カッコいい」のだ。

「勉強していたら、『むちゃくちゃ、カッコいいじゃん！　この人たち！』となって。もともとオタクなので血が騒ぐんですよね」

何とか菊池一族を活用していけないだろうか。そう思っていた頃、たまたま農作物を推進するブランド推進室から、菊池米の東京銀座（ぎんざ）でのＰＲで一族と絡められないかとの相談が入った。その際に、ブランド推進室からは「簡単に一族を説明できる資料はないのか」

と聞かれたそうだが、答えはＮｏだった。極めて専門的な資料のみしかなかったのだ。すると、思いもかけない提案をされる。予算はあるから作ってほしいというのだ。

「なんて渡りに船だろう、と思いました。じゃあ、武者カフェをしよう！　と提案しました。そうすると、カフェだからターゲットは若い女性なので、その層が好きそうなイラストを使った新しいパンフレットを作るべきだと主張しました。

では、そのイラストは誰が描くのか？　という時に、職員に描ける人がいるよという話を聞いて。同志がいたんですよ！　引っ張り込みました。五人いたんですが、私が一族について『こういうキャラクターなんですよ、きっと！』といった妄想を熱烈に語り、そこから形にしていったのが、最初に出した『菊池一族のススメ』というパンフレットでした」

この企画は、生涯学習課としての発行ではなく、ブランド推進室が行う一時的なＰＲのためということもあり、割り切って進めることができたのも大きかった。「軽いのりでいいと言われたので、いくぜって感じ」のまま勢いで進めた仕事だったという。

イラストによるパンフレットができあがって活用すると、「はちゃめちゃに受けた」そうだ。ただ、この企画はブランド推進室の単発である。これで終わりになる可能性もあった。そんなある日、佐伯さんに突然市長から電話がくる。

「『市長から電話だよ』って言われたときは、めっちゃ怒られると思っていました。ところが、市長からは『いいの作ってくれたじゃない』『市庁内にこんな人材いたんだね。イラストとか、こういう発想がある事にびっくりしたよ』と言われて。副市長からもこの路線でこれからは行かないと、などと言ってもらえてお許しをいただいたので、そこからは大手を振って行くことにしました」

こうして、佐伯さん自身が好きだったという理由で始めたイラスト化計画が正式な施策へと発展していく。

まずは、市のサイトへイラストを活用した。このサイトは市長の後押しもあり、一族のすべてが分かるポータルサイトへと発展した。さらに、史跡を巡って歩く健康企画イベントである菊池一族ウォークラリーを開発する。コンプリートした人用の一族オリジナルグッズのなかでもマグボトルは大人気となり、一気に広がった。

だが、市長のお墨付きをもらったといっても、あくまで生涯学習課の中での実施となると、部署としてのメインミッションではない。「よく分からんけど佐伯が好きなようにやっているな」という状態であった。そのようななか、佐伯さんに衝撃のニュースが舞い込む。それこそが、「菊池一族プロモーション室」の誕生だった。

始動！　菊池一族プロモーション室

こうして役者はそろった。野中さんと佐伯さんが中心となりプロモーション室が始動する。この年は武光公生誕七〇〇周年祭の年でもあった。プロモーション室としての大きな初仕事は、インバウンドビジネスをも見込んだ形で一族のブランド化を推進すること。実は私自身も、その事業でご一緒させていただいた。いわば、プロモーション室初陣の陣列に加わった。

当初、プロモーション室に不安を抱えていた野中さんだったが、セミナーや勉強会への参加を含めて模索していく中、一族への可能性を感じるようになる。

「個人的にもセミナーや勉強会等に参加したり、久保さんからも色々お話を聞いたりして、考えていました。ちょうどその頃に、観光地として生き残りをかけて、今後どうやってアプローチをするかという勉強会がありました。その結論が、市としては他と同じようなやり方をやっていたら駄目だ。菊池ならではの地域資源を活かして一点突破の発信をやっていくことが大事だとなりまして。

となると、菊池一族は菊池市にしかないし、これを武器にしていくのが大事ではないかと。確信にまでは至りませんでしたが、だんだんとそう思うようになっていったんですね」

野中さんは、事業をすすめる中で、一族は全体の知名度は低いものの一部で熱狂的な支持を受けていることに気づく。そして、佐伯さんの活動でサブカル領域を中心に一族のイラストが広がる様子から、従来のやり方では生み出されない広がりと熱量を実感するようになる。野中さんはファンベース（佐藤尚之、二〇一八）という考え方に触れることで、自身の考えていることが整理されていったそうだ。一点突破を目指す菊池一族プロモーション活動が、従来の観光課題の解決になる可能性を感じていく。

「全体の顧客の二割が売り上げの八〇％を占めると聞いて、本当のコアファンを大事にしていかなければいけないなと。菊池市のこれまでの観光プロモーションで足りなかったのは、そこだったと思うんです。こんなに良いものがあるから、とりあえず誰でもいいから来てねって行政が発信する。それに引っかかった人が来ても、継続的な繋がりの仕組みも何も無かった。ちょっと見直さないといけないのではないか。

菊池一族の一点突破は、菊池でなければならないファンの方を取り込んでいく方法なので、課題解決に繋がるかもしれない。かつ、上手くいけば裾野も広げて増やしていけるのではないかと。たまたま、その年が武光公の生誕七〇〇周年のタイミングだったのも良かったです」

歴史固有の課題を超える

ただ、プロモーション室として動いていくためには大きな課題が存在した。それが地域の合意形成だ。そもそも多くの市民は一族を知らないので、可能性すら感じてはくれなかった。なにせ、野中さん自身も「知らない時は可能性なんかまったく無いのではと、ぶっちゃけ思っていました」という状況だったのだ。

一方で、もちろん熱狂的に支持してくれる人もいた。だが、そのような人たちはほとんどが「玄人」であり、従来のシンポジウムや研究発表会の常連だったような人たちだった。プロモーション室のミッションは認知拡大であり、先に示したように従来型の延長線上ではないスタイルでの活動方針だったので、今まで支えてくれた人たちから反発を受けずに、なおかつ裾野を広げるというバランスが求められたのだ。

さらにこの状況を複雑にしている歴史事象固有の課題が存在していた。それが一族へのマイナスイメージだ。実は、菊池一族がここまで歴史的な偉業を成し遂げていながら、菊池の中ですら忘れられているのには大きな理由がある。それが先の大戦である。

菊池武光を中心にして、一族は南朝側を支えた集団であり、戦前は教科書にも掲載される国家的英雄であった。ところが、このことがかえって不必要なまでに戦争と結びついたイメージを定着させてしまい、強い反発を感じる人たちを生み出してしまったのだ。一族の歴史は本来多様な視点で語ることが可能な歴史的豊かさを有しているが、単一の物語に収斂（しゅうれん）してしまっていたことで、その魅力の幅が狭くなってしまっていた。

野中さん達はこの課題を重々承知しながらも、一族、特に菊池武光が持つストーリーの面白さを純粋に伝えることを目指した。先述したように、初動の年が武光生誕七〇〇周年と重なったのはタイミングが良かった。イベントを盛り上げようという狙いで、関係者を一堂に集めた企画を立案できる環境となったからである。歴史に精通している人をはじめ、各年代にも集まってもらい「どこまでが許されて、どこまでが駄目なのか」議論をしながら統一していった。

この活動をするにあたり、野中さんが「広報時代の繋がりから、どんな人材が地域にいるのかを分かっていたという強み」を持っていたのも大きかった。菊池神社は当然として、一族プロモーションを進めていくために協力が不可欠な人たちとの信頼関係の構築が的確に実施できたのだ。

七〇〇周年では、九州国立博物館での展示、観光協会と連動した武光公オリジナル宿泊プラン、親子向け企画、喫茶店でファンと語る会など、多様な入り口を用意することで幅広い発信を行った。それまで年に一回の武者祭りの時にだけ使われていた甲冑（かっちゅう）を「まるで、ユニフォーム」のようにして飛び回った。ＳＮＳ上では、しばらくの間は甲冑を着ない野中さんと佐伯さんを見ないくらいであった。

しかし、反発がなくなったわけではない。先に述べた戦争との結びつきからくる忌避感だけではなく、むしろ強い愛着ゆえの反発も存在した。プロモーション室はあえて「武光」という表現をしている。親しみを持ってもらうことや何よりもストーリーに共感してもらうためだ。だが、地元では古くから「武光公」として畏敬（いけい）の念を込めて呼ばれてきた流れもある。武光と呼び捨てにすることに強い反発を感じた住民が、市役所にある武光の等身大パネルに「公」の字を自ら書き込むという事件が発生したこともある。これはYahoo!ニュースなどでも取り上げられ、話題になった。

歴史観や考え方などによる対立や方向性の違いは地域の中に存在していたが、徐々に一族を使ったプロモーションの効果を実感する人も増えてきた。佐伯さんは、その様子を次のように語る。

「七〇〇周年の企画では、イラスト使っているの、いいね！　という感想がほとんどだったんです。『菊池一族ことはじめ』という冊子を出して、それが朝日新聞に載ったときにも、八代や人吉といった地域から朝一番に送ってくれという電話をもらったりしました。神棚に飾りましたとか、仏壇に飾りましたとか。怒られることを覚悟してやっていたのですが、予想以上に受け入れられました」

こうして、プロモーション室の存在が地域内でも浸透してくると、さながら地域をまとめ上げた武将が拡大を目指すように、プロモーション室も地域外へとさらに積極的な行動をとることになる。ここでは、ファンベースを軸にした三つの特徴的な動きを紹介したい。

サブカルやアートとの融合

プロモーション室が一族をイラスト化していることは前述したが、現在では官民連携でその範囲を広げている。基本的には武光を中心にしたプロモーションを仕掛けているが、あくまで一族全体を対象としている。さらに、興味深いのは関係が深いエンタメと結合させながら進めていることだ。その代表が、刀剣である。

菊池は昔から延寿鍛冶といわれる刀鍛冶集団が京都から移住してきた土地であり、名刀といわれる刀剣も存在している。最も知名度が高いのは同田貫（どうだぬき）である。知名度が一気に上がったのには理由がある。大人気ゲーム刀剣乱舞の人気キャラクターの一人だからだ。菊池は昔から武道が盛んな地域であり、地域には居合道を行うコミュニティも存在している。そのメンバーが中心となり、延寿鍛冶展というイベントを開催するなど、刀剣による、まちおこし事業が民間主導で行われていた。刀剣展示は個人所有の刀剣など居合道を行うメンバーだからこそ可能な特別なものとなっており、知る人ぞ知る展示として年々認知を拡大していた。

　これはクラウドファンディングによって実施されたのだが、なんと開始一時間で目標金額であった一〇〇万円を達成。最終的には約九〇〇万円が集まった。実施したプラットフォーム業者も驚くほどの成果だった。その理由の一つがファンベースマーケティング。DVDのナレーションに刀剣乱舞で同田貫の声優を務めた櫻井（さくらい）トオル氏を起用したのだ。菊池一族所縁の同田貫。そして、同田貫の声優を務める櫻井トオル氏。ナレーターとしてこれほどの適役はいない。さらに、二〇二三年現在では武光の音声に導かれて、なぞ解きをしながらまちを散策できるアクティビティ「武光公の道連れ菊池さんぽ」もリリースしているが、武光公の声は櫻井氏が担当している。

また、こうしたサブカル方面ではない形で、ストーリーを可視化する試みも民間から立ち上がっている。それが、元菊池市地域おこし協力隊員でもあった、脚本家で映画監督の橋本以蔵（はしもといぞう）さんの活動である。橋本さんは今や熱烈な武光のファンであり、伝道師のように地域内外で活動を行っている。

橋本さんは、一九八二年の自主映画製作以降、当時一世を風靡（ふうび）した『スケバン刑事（デカ）』、カルト的人気を誇るアニメ映画『ＡＫＩＲＡ』の脚本などを筆頭に、映画『帝都物語外伝』の監督、漫画『軍鶏（しゃも）』の原作など幅広く活躍してきた。そんな橋本さんは一身上の都合で熊本へ移住した際に、縁あって菊池の地域おこし協力隊員となり、観光を担当し、アートイベント企画に取り組むことになった。

橋本さんは、なぜ武光の伝道師のようになったのか。それは趣味がきっかけだった。橋本さんの趣味の一つは山城めぐりだった。山城とは、険阻な山を利用して築かれた城を指す用語である。南北朝時代は、いったん途切れた古代山城技術が復活した時代でもある。その視点を持っていた橋本さんは菊池神社周辺を見て、「これは山城なのでは」と感じたそうだ。

「キャンピングカーで日本中を回って土のお城を巡り歩くのが趣味だったんです。土のお城好きから見ると、何の案内もないけどおかしいな？　これは城じゃないの？　と。ところが、どこにも案内がない。そこで図書館へ行ってみると、どうもここは菊池一族という者がいたらしいと分かった。そうして掘り起こしていったんです、一個一個」

調べるうちに、菊池一族の文献も実はそれなりに存在しており、市も発信していることを知るが、知識は手に入るものの、実際に巡ってみようとなると、ほとんど遺跡も残っていなかった。しかし、バラバラに存在するパーツを集めていくと、橋本さんの中で菊池武光の物語が輝き始めることになる。そこで考え付いたのが、遺跡はないが当時の様子を絵で表現してみることだった。もちろん、それは学術的な再現という形ではないが、ストーリーを可視化する手助けになるはずだという思いからだった。

こうしてできあがった絵画を基にして、橋本さんは菊池市内で展示会を開催し、菊池一族の魅力を語るセミナーイベントなども実施、二〇二二年にはついに小説も書きあげるなど、魅力を伝え続けている。菊池の外から来た人間も魅了する物語が武光にある、という証明の一つといえるだろう。

(註：橋本さんの絵画は次のＵＲＬから見ることができる。菊池一族ホームページ『絵で見る「幻の都　城下町菊池」』https://www.city.kikuchi.lg.jp/ichizoku/article/view/2121/3202.html)

SNS戦略

しかし、いかに魅力的であろうとも知られなければ、意味はない。二つ目の動きはこの点をカバーしている。それがSNS活用だ。プロモーション室は広報とファンベースを一体化した施策とするために、SNSを積極的に活用している。近年、SNSのネットワークでは「量」から「質」への転換が主張されているが、プロモーション室はその方法を貫いている。予算も限定されており、広告等も実施していないためフォロワー数は決して多くはない。だが、極めてユニークな運用スタイルで、従来であれば菊池市とは縁がなかったような人たちとの絆(きずな)を深めている。

行政のアカウントといえば、地域情報を発信するのが一般的だ。プロモーション室でいえば、一族関連のニュースなどを発信していくことになるだろう。もちろん、それは実施しているし、一族のかなりディープな情報なども発信しており、南北朝ファンを捕まえている。けれども、面白いのはそれだけで終わらないところだ。

例えば、二〇二一年時点で菊池市が全国トレンドになった事件が起きた。エミューという鳥が二〇羽以上脱走したのだ。エミューはとても大きな鳥なので、見た目のインパクトがすごく、ツイッター上で話題になった。それを拾うことで菊池市へと誘導しようとした。

それ以外でも、菊池という姓の有名人がアカウントに関心を持ってくれたことから、そのファンへのリーチが起きるなど、「まったく関係のないきっかけでも、面白いじゃんって思ってくれる」（佐伯さん）ファンが集まりはじめている。

SNSアカウント構想には私も少なからず関与している。プロモーション室ができたと聞いた時に、一族の歴史はもちろんだが、自治体の正式な部署名として存在していることが面白いと思った。そして、仕事を共にする中で、野中さんや佐伯さんといった「中の人」や、菊池のために汗をかいている人たちそのものが魅力になっていると感じた。

そこで、一族の歴史だけではなく、プロモーション室のリアルタイムの「歴史」を伝えること自体にも価値があると思ったのだ。ファンベースの活動をする時に重要なのは、商品やサービスもさることながら、ファンを繋ぐ存在である。魅力的なファンの存在そのものが新しいファンを増やしていく。ネットワークの質を高めてくれる存在となる。実際に、同室が発足してから「菊池一族プロモーション室って何？　というリアクションがあったので、これを活かさない手はない」状況だった。

しかし、個人が勝手に運用しているわけではなく、役場の公式アカウントである。そのため、開設には慎重にならざるを得なかった。

「例えば、WEBサイトの菊池一族のストーリーを連載で出します、ターゲットのセグメントはこのような人達です、SNSのツイッター上でおおよそ何歳から何歳位までの女性の歴史ファンがいて、そこにアプローチして菊池ファンになってもらいます等々。方向性を出して上司を説得しました」

こうしてスタートしたSNS戦略。プロモーション室は、自治体アカウントとしては珍しくツイッター（現X）の「文法」を意識した遊び心のある運用を行っている。リプライを飛ばしあいながら、フォロワーたちを中心に交流を行っているのだ。ところが、意外なことに公式アカウントのため、リプライも含めてすべての発信に決裁が必要とされる厳格な体制下で実施している。通常であれば発信は抑制的になってしまうことが多いが、担当の佐伯さんは「決裁が下りるのと、遊び心のぎりぎりの範囲を目指す」方針で行っているという。

佐伯さん自身が長きにわたってツイッターを利用してきた「ツイッタラー」であり、プライベートでも一族ファンとの交流を行ってきた実績がある。そのため、上司への説得も、「SNSにはSNSの文法がある」というロジックとともに、なぜこの発信が効果的かを説明して決裁を得ている。

私が何より印象的だったのは、様々な苦労を感じつつも、楽しみながら運用をしていることだ。佐伯さんは次のように語ってくれた。

「係長（野中さん）から、この分野は佐伯さんの得意分野だから思うようにやっていいよと言ってもらえているのが大きいです。好き勝手やるとは、放置されているのとは違うんです。『どういうことやりたいの？　何が面白いと思う？』という問いに、『こういうことをしたら絶対面白いと思います』と具体的に返すと、『じゃあ、それできるようにやろうよ』と、手配をしてもらえる。

時には、『俺もこういうことをやると面白いなと考えたんだけど、どう？』と聞いてくれる。信頼して任せてもらっている感覚があるんです。それがとてもありがたい」

こうして、ＳＮＳを活用したプロモーションが推進していく中、さらに踏み込んだＳＮＳとリアルも交えた新しい施策をスタートする。それが三つ目の施策。菊池ファンクラブだ。

菊池ファンクラブ

冒頭に紹介した九州の首都宣言。こうした自治体として珍しいプロモーション施策は菊池ファンクラブが行ったものである。菊池ファンクラブは、そのコンセプトを「ゆる～くつながれる居場所」としており、関係人口づくり施策として観光協会が主幹組織となり、官民連携で行っている事業である。

「ファンクラブは、最初は熊本地震がきっかけですかね」

菊池ファンクラブは突然始まったように見えるが、その淵源は二〇一六年の熊本地震が大きなきっかけだった。当時広報だった野中さんは、震災復興キャンペーンとして「全国の菊池さんいらっしゃい」という事業を担当した。全国の一族子孫ならびに菊池姓の人たちを対象に、菊池に招聘（しょうへい）するプロモーションは、その遊び心溢れる仕掛けと共に、震災復興に何かしたいという人たちの心を動かし、一定の成果を挙げた。

広報として窓口になっていた野中さん達の元には、関わった人たちから「菊池の情報を送ってよ」という声を筆頭に、繋がりを求める声が届いていた。しかしながら、事業は参加者との繋がりを組織的に続ける形を作れないまま終わってしまった。その時の経験から、プロモーション室ができた段階でちゃんとしたファンクラブを創ろうという構想が存在したという。当初は官主導で進めることも検討されたが、地域の盛り上がりがなければ持続可能な取り組みにはならないことや、そのタイミングで観光協会も自身の在り方を変える必要を感じていたことも重なり、官民連携の動きで進めることになった。

前述したように、野中さんは従来の観光プロモーションを、ターゲットを絞った一点突破へと変更しようとしていた。その構想でファンクラブは重要な役割を果たすものだ。大きな変革を伴う構想だったこともあり、地域での丁寧な合意形成を進め、二年間の準備を経て菊池ファンクラブは立ち上がる。その記念すべきキックオフイベントが、九州の首都宣言からスタートした菊池代表総選挙であった。

菊池代表総選挙は、菊池の魅力を政党に見立て、ナンバー1を決めるイベントである。投票企画だけならば、他の地域でも実施しているが、菊池ファンクラブには、面白い仕掛けがいくつか存在している。地元住民が扮する党首が掲げたマニフェストを基に投票して、九州の首都菊池のまちおこしに参加するこのイベント。住んでいる場所を問わず、まちおこしの方向性に投票という形で参加できる仕組みも面白いのだが、なかでも特徴的なのがSNSを効果的に活用した、「遊び心」があるプロモーション施策だ。

まず、総選挙にエントリーしている政党である。「菊池の歴史・刀剣」「菊池の食・グルメ」「菊池の自然・温泉」とここまでは普通なのだが、最後に「全国34万人のきくちさん党」というものが出てくる。これを見たら、確実に「なんで?」となるだろう。それこそが狙いである。この全国34万人のきくちさん党は、前述した全国の菊池さんいらっしゃいキャンペーンの発展形であり、既に実績があるものだ。これに興味を持ってもらえれば、必然的に菊池一族から菊池の歴史を語ることになる。党首の苗字(みょうじ)はもちろん菊池さん。実際に、菊池代表総選挙は夕方の報道番組でも取り上げられたが、その時に密着されたのは「全国34万人のきくちさん党」の党首だった。

それ以外にも色々と仕掛けが存在している。例えば、菊池の歴史・刀剣党首は菊池で長年続く菊人形であり、菊池の自然・温泉党首もなぜか兜(かぶと)をかぶっている。これは単に見た目が奇抜というだけではなく、突っ込みどころから菊池一族をはじめとした菊池の歴史文化を説明できる仕掛けになっている。

このようにみると、総選挙は互いに対立しているように見えつつも、それぞれ分かりやすく分類された菊池の地域資源という入り口から、地域全体の魅力を感じられるようになっているのだ。温泉、食材、自然を体験していない人からは、「他の地域と差が分からない」と言われかねない地域資源を、総選挙といった形でパッケージ化。それと同時に、菊池一族を中心とした地域の歴史文化と結びつけることで、特別なものと説明できる機会を創出している。

さらに、各党首が競争することで、キャラクターとしての党首が実体を持ち始めていく。例えば、菊池の食・グルメ党首は菊池名産の七城（しちじょう）メロンのヘルメットをかぶっているが、ヘタ部分が落ちるというアクシデントが、かえって話題を呼んで「ヘタポロリ」という愛称がつき、総選挙後には誕生日イベントも開催されている。一方で、菊池の歴史・刀剣党首は菊人形祭りの時だけなぜか欠席するので、色々と疑惑の突っ込みが入るなど、真剣に楽しんでいる空気感が面白いものになっていた。総選挙後にも、地元事業者とコラボしてファン限定商品を製作するなどファンベースの活動を続けている。

温泉総選挙歴史・文化部門第1位・地方創生大臣賞を獲得

クラウドファンディングなどの個別の成功はもちろんだが、地域として目に見える結果も出てくるようになった。官民一体の情報発信サイトが主催する温泉総選挙２０２０において、歴史・文化部門で菊池温泉がはじめて第1位を獲得したのだ。二〇一九年度は、女子旅部門で二位となっていたのだが、歴史・文化部門に鞍替（くらが）えしての快挙だった。歴史文化という枠組みでみると、菊池温泉は決して古い伝統を持つ温泉地ではない。温泉地としての歴史が古い地域は全国を見れば数多く存在する。その中での勝利だった。

ＰＲページにはもちろん一族の歴史も記載され、プロモーション室が使ってきた写真も活用された。総選挙終盤には市長も自身のＳＮＳで「菊池一族ファンの皆さん」と呼びかけるなど、積極的に一族を絡めたプロモーションが実施された。もちろん一族だけがすべての理由ではないが、一族の価値が温泉の価値を高めた実例の一つといえよう。

また、菊池ファンクラブも含めた総合的な地方創生の活動が高く評価され、地方創生大臣賞も受賞した。受賞理由は「歴史・文化に育まれた地域の魅力を多様な形で発信することで、温泉地を核として『まち・ひと・しごとの創生』に関する積極的な取組を推進している点」。まさに、菊池一族事業もその中に存在している。

菊池が菊池であるために

このように、菊池一族によるヒストリカル・ブランディングが地域ブランドを高めはじめているのだが、もちろん課題もまだまだ多い。いまもプロモーション室は戦いのさなかである。特に、ファンベースの場合には売り上げの増加といった目に見える成果を短期間で生み出すことは難しい。その過程でおきる考え方の相違などは、今後大きな課題になるだろう。ブランドが一朝一夕にできないことは誰もが納得するのだが、その期間に堪えるには大きな胆力が求められる。

また、市町村合併という地理的な問題もある。佐伯さん自身も「小学校への出張授業の中で、小学生のなかでも武光ファンは増えている実感はあるけれども、もともと菊池一族のライバルだった地域では熱量に大きな差がある」と言っている。今後は、一族のライバルであった合志（かわし）一族も含めたプロモーションを実施していく予定とのことだ。物語にはいつもライバルが必要なので、今後が楽しみでもある。

仮に、何かしらの理由でこのプロジェクトが途中で終わることがあっても、菊池一族の歴史が終わることはないだろう。なにせ、南北朝の時代からいまだに誰かの心をつかみ続ける物語を内包している大ロングセラーなのだ。何より、菊池には一族に限らず、地域の歴史をベースにした施策が多々動き出していることも大きい。

例えば、イデベンチャー。これは夏にだけ実施される農業用水路をカヤックで下る自然体験アトラクションである。自然を体験できるアトラクションとなっているが、それを実現しているのは江戸時代から続く現役の農業用水路だ。農業用水路を活用するからこそ実現できる、自然と人々の暮らしが融合した風景が楽しめる。もちろん、農業用水路としての価値を棄損しない工夫が地域一丸となって実現されている。

これは、必ずしも前面に歴史が出ているものではないが、歴史文化を守ることで、この地域にしかないアトラクションとなっている事例だ。

そして、未来の担い手たちがプロモーション室の動きから誕生しようとしている。高校生による市役所インターンで、プロモーション室を指名で希望した学生がいた。その学生は七〇〇周年祭のイベントをきっかけにして一族の魅力を感じ、プロモーション室そのものに関心を持ったのだ。残念ながらコロナ禍のためインターン自体がなくなってしまったのだが、蒔(ま)いた種は確実に育ち始めている。

プロモーション室自体も新しい展開を迎えている。二〇二二年度に組織改編が行われ、経済部観光振興課・菊池プロモーション室・菊池一族プロモーション係となり、松永哲也(まつながてつや)室長のもと新しいスタートをきった。現在は佐伯さん、野中さんは新しい部署に異動した。観光振興課の所属として、観光とリンクした関係人口拡大施策の挑戦が始まることになった。

組織である以上、様々な変化があるだろうし、政策の変更が起きる時もあるだろう。だが、たとえ一時期火が消えそうになったとしても、菊池の土地を愛する人たちがいる限り、武光のように機を捉え、再び時代に合わせて一族の歴史は地域の魅力として何度でも蘇(よみがえ)るだろう。菊池が菊池であろうとする限り、一族の歴史はなくならないのだから。

第六章　ヒストリカル・ブランディングの理論
――商品開発による地域ブランディング

歴史とは模倣できない地域性

横芝光、菊池で紹介した事例は、いずれも小樽や佐原に比べて歴史的建造物や文化財のような大きな集客力を持つものがない中で行われたヒストリカル・ブランディングである。しかしながら、両地域とも歴史を活用して地域空間ブランドの向上を実現している。その方法は景観や文化財ではなく、地域の歴史を活用した商品開発をきっかけとしたものだ。

ここでは、商品開発を起点としたヒストリカル・ブランディングの理論的背景を紹介しよう。

前述した地域空間ブランディングと地域産品ブランディングを思い出してほしい。両者は互いに有機的に結びついているものだが、横芝光と菊池は地域産品ブランディングに歴史を活用し、それを地域空間ブランディングの強化へとつなげたといえる。

まず、両地域とも地域空間ブランドという点ではハッキリとしていなかった。例えば、インタビューにおいて、横芝光では永野さんが「じゃあなんのまちだというのが今までなかった」。菊池であれば野中さんが、「あれもある、これもある」といった発言をしていた。これは、地域空間ブランドが不明瞭になっていた証左であろう。このような状況で何をメインに打ち出していくのかといった際に、歴史は地域にとって固有な事象であるがゆえに、有効な選択肢の一つとなる。

横芝光は大木式を、菊池は一族を取り上げた活動が行われたのだが、結果としてこの二つは地域ブランドの輪郭を明確化し、それを強調する役割を担った。横芝光であれば、大木式ソーセージという歴史を活用した象徴的な商品を用い、豚肉が美味しいまちとして地域空間ブランディングを強化している。菊池であれば菊池一族関連のイラスト、グッズ、イベント、小説といった商品、サービス、作品によって菊池一族のブランド価値を高め、それを他の地域資源と組み合わせることで地域空間ブランディングを強化している。

小樽が、運河という空間から観光というサービスが生まれ、それに呼応してガラス細工などの地域産品ブランドが展開されていったのに対して、両地域は地域産品（以下、サービスも含むため地域商品と記載する）ブランディングからスタートし、地域空間ブランドの輪郭をはっきりさせ、強化する構造になっている。

「地域産品は、地域ブランド資源として、地域産品ブランディングと地域空間ブランディングを結びつける役割を果たす」（小林、二〇一六）とされるが、両地域も以前から存在していた地域商品に歴史を組み合わせることで、二つのブランドを結びつける役割を果たす商品をつくりあげたと考えてよいだろう。新しく開発するものも含めて、地域商品が固有に持つ力とは「地域性」だが、歴史は最も分かりやすく、模倣困難性が高い「地域性」なのだ。

このように、両事例は目に見える歴史的景観がなくとも、歴史を活用して地域ブランドを強化している。

差異を内包した同質性

さらに、特徴的なのが「差異を内包した同質性」である。この概念について、先に紹介した小林（二〇一六）を参照しながら説明していこう。まず、地域ブランドにおける差異を内包した同質性とは、「地域産品ブランディングに固有な特徴」の一つだという。本来、差異と同質性は相反する概念であり、両者が同時に成立することはない。しかし、製品を属性の「束」とみなした場合には異なる。

小林（二〇一六）はこのことを仙台牛タン焼きの事例で説明している。それによれば、仙台の牛タンには、オリジナルの牛タン焼きのほかに、タレ味など複数のバリエーションが存在するのみならず、店舗の雰囲気も煙が立ち込める居酒屋風からBGMが流れるオシャレな店まで幅広く存在している。これらは、細かく見ると異質であるが、店も我々もこれらをすべて「仙台牛タン焼き」と呼ぶことに相互了解が成立している。これが、「差異を内包した同質性」概念である。

この概念にはもう一つ大きな特徴がある。それが「競争的関係の中での協調」である。例えば牛タンが、オリジナルを出す居酒屋風のA店のみしかなかったとしよう。だが、中にはタレ味が食べたい人も、オシャレな空間で牛タンを食べたい人もいるだろう。そうなると、A店だけでは顧客ニーズには不完全な対応となってしまう。そこで、満たされていない顧客ニーズに新しく対応する形で、オシャレな空間でタレ味の牛タンを出す店が出てくる。その結果、顧客満足度は高まり、より多様な人たちが足を運び、高単価商品などを購入するなど商圏全体の売り上げが拡大するのである。

ここまでをまとめると、地域商品ブランドは「差異を内包した同質性」を有することができる。それらは地域内に複数の主体が存在し、彼らの提供する製品が多少異なっていても、地域と顧客が同一地域ブランドであると相互に了解できれば地域ブランドとして成立する。そして、各主体が相互に依存しながら互いに競争することで、顧客ニーズのさらなる充足を促し、地域ブランドが進化していくのである。

これをより進めると、「ブランド内に差異を取り込むことで、ブランドの顧客適応力を高め、ブランド全体の需要を増加させることができるとともに、顧客との相互作用を促し、ブランド自体を進化させることができる」ものとなる。

横芝光では大木式がソーセージ以外の加工品への拡張のみならず、各店舗の個性を活かした料理を提供していること、菊池ではイラスト、絵画、小説、刀剣、キャラクターグッズなどに展開していることなどは、差異を内包した同質性を有したブランドになっていることが分かる。また、両事例は共に、その異質性を活用する形で顧客との相互作用を促し、ブランド自体を進化させているともいえる。

例えば、大木式は一製品から豚肉が美味しい地域という地域空間ブランディングへと活用され、GOOWフェスという豚肉料理イベントの開催につながり、GOOW認定店といった形で、多数の豚肉料理自慢のお店のブランドとして活用され始めている。

菊池に関しては、菊池プロモーション室が核となって、菊池ファンクラブといった形でブランド進化が起きている。特に、一族ブランドはキャラクター的展開をしており、各種のグッズ展開がしやすい。加えて、プロモーション室がSNSを使って顧客との交流を実現しているため、総選挙を通じて顧客と製品を共創するなど、顧客相互作用が強く働いているといえるだろう。

このように、地域ブランドが持つところの「多様性の中の調和」を歴史も有している。だが、さらに細かく見るとヒストリカル・ブランディングに固有な事象も見ることができる。ここでは両事例から三点紹介したい。

歴史を通じたブランド拡張

一点目は歴史を通じたブランド拡張だ。ブランドの持つ強力さの一つにブランド拡張がある。ブランド拡張とは「企業が新製品を導入する際に、すでに確立しているブランドネームを用いる事」（Keller, K. L., 1998）とされる。横芝光も菊池もブランド拡張が見られる。菊池では一族ゆかりのグッズが幅広く開発されており、大木式もソーセージ以外にハムといった加工品に範囲を広げている。

しかし、こうした一般的な視点とは異なる、歴史ならではの拡張事例を見ることができる。

例えば、大木式ナポリタンがそれにあたる。大木市蔵氏とナポリタン発祥のホテルとの歴史的繋（つな）がりから生まれた大木式ナポリタンは、単なるレシピ商品を超えて独自の歴史的意義づけが付与されている。新商品でありながら、他のレシピ開発とは異なる情緒的価値を創出しているのだ。それは「大木式ナポリタン目当てで横芝光に来る人がいる」ことから分かるように、ナポリタンへの強いこだわりを持つ顧客層に響く。このように、大木式とナポリタンは他では起こらないような相乗効果をなしているが、その橋渡しをしているのが歴史である。なお、厳密にいうと大木式ナポリタンは、歴史的には証明されていない部分がある。ただ、fu~fu~cafeさんは、そのことを正式にＷＥＢのなかでも説明している。これは、歴史的事象を参考にした新商品開発と考えた方がいいだろう。

このような発想は料理の世界でよく見られるが、その点については後述する。

一方、菊池一族の場合には、ライバルである合志一族が誕生している点が特徴的なブランド拡張である。本来であればまったく異なる集団なので、コラボといってもいいかもしれないが、一族ブランドを強化する関係性になっている。けれども、それは決して合志一族が菊池一族の下にいるということではない。両者のブランド関係は緊張感を持つものであり、ブランドグループ内で人気を競いながら、互いが物語の価値を高める共創関係にもなっている。これはアニメや漫画などにおけるライバル関係で考えると分かりやすい。いわば、ブランド拡張自体が母体となるブランドそのものにも影響を与えている。

このように、ヒストリカル・ブランディングは歴史がハブになることによって、単なる新商品ではなく、一般的なブランド拡張とは異なる情緒的価値を創出できる。簡単にいえば、新しいのに開発過程だけではない、豊富なストーリーを持つ商品になるのだ。

関係人口より広い概念、マーケットタイ

商品自体のブランディングも重要だが、ブランディングプロセス自体が新しい価値を生み出すことも示唆されている。それを読み解く概念が、デスティネーションに人が来訪する理由となるコア・リソース概念の一つ、マーケットタイ（Market tie）だ（Ritchie and

Crouch, 2003)。

これはデスティネーションとの関係性による来訪という意味で、大きくは過去の国家間における関係性といったものから、個人的なレベルの親族や友人関係といったものまで含む概念である。

例えば、自分のルーツを知るための旅はデスティネーションとの歴史的繋がりなのでマーケットタイ概念に含まれる。また、人だけではなく、組織や地域間にも適用可能だ。姉妹都市協定やオリンピックのホストタウンなどはマーケットタイを構築する施策である。本書で紹介した事例でいえば、全国の菊池さんいらっしゃい事業は、典型的なマーケットタイ概念を活用したデスティネーション・マーケティング施策である。

近年、日本では地域と何かしらの関係を持った他地域在住者に対して関係人口という表現を使っているが、マーケットタイ概念は関係人口よりも、もっと軽い意味合いのものから、深いものまでカバーする広い概念である。

実は、ヒストリカル・ブランディングはこのマーケットタイと極めて相性が良い。歴史が介在することによって、通常では出会うことがない関係者と繋がる効果があるからだ。

例えば、大木式であれば全国にいる市蔵の弟子達との交流やナポリタンのレシピ協力をしてくれた老舗洋食店など。一族に関して言えば、各地の一族関係者や紹介した橋本さんのような歴史に興味があったファンや、刀剣乱舞といった一族の歴史と関与するようなコンテンツファンとの繋がりである。歴史という過去が媒介になることで、現在では一見関係ないものと繋がる力が倍増するのである。

少し話はずれるが、このマーケットタイという概念は今後ますます重要な切り口になると私は考えている。なぜなら、コモディティ化が進んでいるからだ。消費者にとってほぼ無限ともいえるくらいの選択肢があるなか、「繋がりがある」ことは極めて大きな選ばれる理由になりえる。また、繋がりがある方が地域への愛着にも発展しやすい。昨今、ファンやコミュニティを重視するマーケティング手法がでてきているのも、その示唆だといえるだろう。

この視点でいうと、大学などの教育機関と連携した地方創生事業はマーケットタイ強化において非常に有意義である。特に、大学は他地域からの学生が在籍している場合も多い。仮に卒業後は別地域に行くとしても、在籍期間に良い経験をして地域への愛着を持てば、マーケットタイが構築されるので、何かのきっかけで再訪する可能性は高い。個人的には、そのなかでも特に留学生は将来的に国を超えた関係構築ができるため、とても重要であると思っている。私自身、大学生や留学生と共に地域における国際交流や地方創生事業の参画などをいくつか経験しているが、そのポテンシャルを感じている。

関係性は一朝一夕で作れるものではなく、マーケットタイも歴史があるからといって容易に構築できるものではない。だが、関係性構築で最も難しいのはきっかけである。きっかけがなくては関係性も何もない。その点で、歴史は最初からそれをクリアしている。

人材育成事業になる

地域を主体にして考えるならば、先ほどの関係強化は外だけではない。第三章で歴史は合意形成の共通基盤になること、そしてインナーマーケティングにも効果的であることを示したが、今回もその効果を見ることができる。例えば、横芝光は、大木式ソーセージ事業自体が青年部の連帯を強めると同時に、地元志向の経営者育成拠点となった。菊池もプロモーション室がハブになる形で地域の多様な事業者たちを結びつけていき、核となる事業体へと発展させている。

ここで注目すべきは横芝光の事例である。横芝光は大木式自体の成功というより、大木式事業というプロセスを経ることによって、参画した若手経営者が地域志向になったこと自体が地域の活力に繫がっている。これは、仮にヒストリカル・ブランディングによって生み出された商品自体がそれほど売れなかったとしても、そこに関わった人々の成長が地域にとっての大きな財産となることを意味する。つまり、実行すること自体が価値であり、人という地域にとって最も重要な力を育てることになるのだ。

もちろん、歴史が関係しない事業でも発生すると思うが、歴史が地域住民全員の共通基盤であるという特徴からすれば、他の事業よりも人を巻き込みやすい。横芝光の事例でいうところの「地図がある」からである。この時、できれば外部の人間も巻き込むとさらに良い。なぜなら、客観的な視点で地域の良さを発見できるからだ。日常的に当たり前すぎるものの良さは、どうしても分かりにくい。そこを補う存在を入れることで、より重層的に良い点を見出（みいだ）すことができるだろう。

地域の現役世代は自分たちの地域の歴史を意外なほど知らないことが多い。歴史には地域の持つ強みのヒントが数多く隠れている。ヒストリカル・ブランディングに取り組むことは、そのヒントを探し出すための実践的方法となるのだ。

ハードだけが歴史文化ではない

ここまで、歴史的景観や文化財、有名な祭礼が無くとも、歴史がブランド構築において重要な役割を果たすことを説明してきた。これは次のことを意味する。すなわち、歴史的景観や文化財だけが歴史文化ではない、ということだ。今までヒストリカル・ブランディングは脱コモディティ化を実現すると説明してきたが、ある条件次第ではコモディティになりかねないリスクが存在している。それが、建築物や文化財といったハード活用への偏重と過度な短期的収益化志向だ。

流行を追うという極端なケースではなくても、結局のところ利益を短期間で最大化しようとする試みにはコモディティ化の影が潜んでいる。本書で何度も指摘しているように、現代の科学的なマーケティングをとると、利益の最大化を目的にした場合には、誰もが同じマーケットを狙うようになってしまう。他よりも売り上げをあげるために差別化するはずが、結局のところみんなと同じになってしまう「マーケティングのジレンマ」は、こうした構造で生まれる。補助金のように短い期間内で成果を求められることや、自治体職員の任期といった問題なども絡み合って、構造的に発生する可能性が高い。

こうした短期的視点が歴史文化の価値を狭(せば)めてしまうことがある。その最も顕著な例は、地域の歴史「資源」が文化財や古民家活用などのハード偏重になっているところだ。ハード資源は目に見えるものであり、転用など分かりやすい活用ができるため、短期的に収益を出しやすい。もちろん、歴史的建造物といったハード利用には多くの利点も存在する。だが、短期的な利益の最大化という視点だけでこうした動きを進めていくと、それだけで文化的価値が決定づけられてしまう事態を引き起こし、歴史文化の棄損に繋がる可能性がある。

その懸念を指摘する主張も存在する。例えば岩城(いわき)ら（二〇二〇）は文化財で「稼ぐ」ことが国家戦略になったことで生じる負の側面について「文化財は、商品となった。観光客のものになった。博物館・美術館は、集客できる文化財の展示を求められるようになった。いま、人間の基礎体力が奪われようとしている」と指摘している。

また、活用過程にも課題が生じ始めている。例えば、光井渉(みついわたる)（二〇二一）は近年推進されている近代建築や古民家等のリノベーション実践について、基本的には歓迎すべきことであるとしつつも、進め方の中に文化的価値を軽視する動きがあると、次のように指摘している。

「近年では『リノベーション』と名づけて、民家を現代住宅として使いつづける試みが注目を集めており、そのこと自体は歓迎すべき現象である。しかし、リノベーションの事例のなかには、民家調査を通じて認知されてきたさまざまな文化的な価値を無視し、町並み保存のなかで蓄積されてきた修理方法を参照していないものも多い。設計施工者による不必要な破壊や現状変更が続発しているのである」

手っ取り早く短期間で収益を上げるという発想になると、このような望ましくないリノベーションを実行してしまう可能性は高いだろう。

文献資料の場合はさらに深刻だ。国立歴史民俗博物館館長であった久留島浩（くるしまひろし）は国が示した文化財活用事例の例示の中に文献資料が描かれていないことを指摘しながら、地域における文献資料の保存や継承の取り組みや議論が不十分であると批判している（岩城ら、二〇二〇）。文書が有形文化財と比較してその重要性や活用について取り組みや議論がされていないというのは、強く同意するところだ。

私にも経験がある。とある古民家再生の案件に意見を求められて現地に行った時のことだ。その古民家は地域の有力者の屋敷であったが、子孫は既に引っ越していたため、家屋だけが放置されていた。それを地域の有志が保存活用しようというものだった。現地に着くと、屋敷のなかで見つかった物の整理が行われていた。地元の方に、見た目は豪華だが、恐らく記念としてまち中に配布されたであろう、内容的には一般的な記述のみの冊子を紹介してもらっている時、ふとゴミ袋の中にいくつかの封筒があるのを見つけた。私はすぐさま次のような言葉をかけた。

「あれ、もしかしてこれは手紙じゃないですか。もしかして、これを捨てようとしていませんか」

「えっ、ダメなんですか？　それよりも、こちらの方が立派だからいいんじゃないかと思って」

「いやいや、見た目には立派な資料ですが、これはまち全体に配布された可能性が高いです。でも、この手紙はここの住人向けに出されたもので、世界に一つとして同じものがない文書ですよ。この手紙のやりとりを通じて、この古民家の位置づけや、ここに住んでいた人と住民との交流などが分かれば、古民家再生のヒントになるはずです。この手紙を捨てるのは待ってください」

まさに、いま歴史資料が失われようとしている現場に立ち会った。幸いこの時は声をかけられたから良かったものの、この時、私は全国で悪意なく資料が消失しようとしていることを実感した。確かに、文献資料は文化財と比較すると単独で集客力を持つことは、ほとんどない。即ち、「短期で金にならない」から観光とはそぐわない、と悪意なく思ってしまう。

ハードはいずれコモディティになる

文化財や古民家といったハードは、文献資料と比較すると手っ取り早くお金を生み出しやすい。しかし、先にも指摘したように単なるハード活用だけでは古民家カフェだろうと文化財ホテルだろうと、長期的にはコモディティ化する。確かにその地域のほとんどの建築物に比べれば差別化されているかもしれないが、文化財活用が推進されていけば、全国に似たような建築物は大量に存在してしまうからだ。デザイン性の高いリノベーションも差別化要因ではあるが、単なるデザインの良さだけでは同じような競争の中に入り込んでしまうだろう。

このように、ヒストリカル・ブランディングであっても、ハードを使うのみでは圧倒的なものを除いてコモディティ化を免れることはできない。そこで必要になるのが、ハードとソフトの組み合わせによる総合的な経験の差別化だ。このソフト資源の源となる知識を提供してくれるのが文献資料である。もちろん、文献資料は商業主義とは切り離して単独で文化的価値があるものだ。前提として、それ自体を強く主張しておきたい。その上で、文献資料は脱コモディティを実現する経営戦略からも重要である事を指摘したい。

文献資料をきっちりと読み込む中で、ハード資源においてもその特質が明らかになってくる。全国で同じような作りの建築はたくさんあるかもしれないが、その建築の中には、地域独自の歴史が紡がれているわけだ。観光客だって、「この屋敷は一七八〇年代に建築された当時としては一般的なものです」といった解説を見ても面白くもない。そんなことよりも、この地域の中でどんな役割を果たしており、どんな人が住んでいたのかが分かるほうがはるかに面白いだろう。観光客が求めるのは事実の羅列ではなく、地域の思いなどを含めたストーリーだからだ。

そもそも、よっぽどの建築物でない限り、「わー、すごいな！」という感覚はそこまで続かない。人は慣れるからだ。だからこそ、建築物の価値を継続的に感じさせるためには、その場所でどんな「経験」をしたのかが重要になる。それを実現しようとした時に、文献資料は我々に多くのヒントを与えてくれる存在になるだろう。

コラム二　歴史文化観光を推進しても上手くいかない――失敗の検証その二

よくある事例――古民家などの「歴史的資源」の活用を積極展開したのだが……

Cさんの地域には、代々受け継がれてきた家が多い。しかし、時代の流れで子孫の多くは他地域に住んでおり、それらの一部は今まで空き家になってしまっていた。地域を盛り上げていかなければという声が出てくるなか、古民家を活用する事例があることを知った。Cさんの地域には古民家を活用したカフェなどは存在していなかったが、調査してみると、古民家カフェはここ数年で開業数が伸び続けており、注目されているようだ。そこで、カフェへのリノベーションを検討した。幸い、補助金なども出ることになり、費用面でも条件をクリアし、開業に至った。

まちおこしの一環ということもあり、運営は地元のまちおこしＮＰＯに委託する形でスタートした。料理はレストランで勤務したことがあるメンバーがいたので頼むことにした。だが、一名だけではなかなか多くの注文に対応することもできないので、人を増やすなど、対策をした。

オープン当初は地元紙なども取り上げてくれた関係で、お客様にも来てもらえたのだが、しばらくすると閑散とするようになってきた。調べてみると、隣町で新しい古民家カフェができており、そちらの方は盛況だという。お客を取りもどすために、より美味しいものをより安く提供すべく、働く人数を減らし人件費を削減して対応するようにした。安さでは負けないようになったのだが、なかなかお客が戻らない状況が続いている。いまは何とか補助金などで補塡（ほてん）しているが、このままでは経営が成り立たない状況になってしまいそうだ。

歴史にあぐらをかかない

この事例は飲食店関係者であれば、絵に描いたような失敗事例だと思うだろうが、現実に存在する事例である。このケースは、補助金依存発想から生まれてしまったことも大きな課題なのだが、そういった指摘は他の書籍などに譲ることにして、ここでは古民家活用に関して考えてみたい。

Cさんの古民家カフェは、オープン当初には地元紙の取材も入り、お客にも来てもらえたとある。よくよく考えると、これはすごいことだ。普通、カフェを創業しただけでは地元紙が取材に来てくれて広報してくれることなどはない。どちらかといえば、こちらからお金を払って初めて取材してくれる方が普通だろう。これが実現できているのは、まちおこしのために開設されたのみならず、地域の特徴ある古民家を活用したことが大きい。要するに、この段階で普通のカフェとは違うものとして認識されているわけである。

ここでのポイントは、この古民家が建築物としては集客力があるものではなかったが、カフェという形態になったことで集客力を持ったことである。理論的に分析するならば、歴史がもつ差別化の力を活用した事例といえる。つまり、カフェの差別化方法として古民家を活用したわけだ。

それならば成功事例となりそうだが、話の続きを見るとそうはなっていないことが分かる。失敗の大きな原因として記載されているのは、だんだんと客足が遠のいていったことと、隣町に新しい古民家カフェができたという話だ。ここで重要なのは、カフェという形態である。相当な文化財である場合を除き、古民家カフェに訪れる人は必ずしも歴史が目的ではない。古民家という歴史的価値は、数ある構成要素の一つに過ぎない。

このように考えると、先の古民家カフェの経営が上手くいかなくなった理由の第一番目が分かる。古民家は差別化要因として機能していたのだが、カフェ自体の魅力がなかった。そして、第二の理由は勘の良い方なら気づいただろう。またかと思われるかもしれないが、まただ。そう、コモディティ化である。

先の記述を見ると、古民家カフェは年々増加しているとされている。結果として隣町も同じようなことを考えて、古民家カフェをオープンさせている。周囲がほとんどやっていなかった状況で実施した場合には、ＶＲＩＯ理論でいう稀少性を持つので差別化として大きく機能するが、周囲にどんどん開業してしまうと、古民家という稀少性を失ったというわけだ。

実際に、現在では古民家カフェの数は増え続けた結果、差別化が難しい状況になってきている。これは古民家に限った話ではない。単に文化財を活用しただけでは、周囲に数が少ない時は良くても、同じような事例が出てくればコモディティ化していく。

改めてまとめてみよう。Ｃさんの古民家カフェは二つの理由で当初の競争力を失い失敗してしまった。一点目は古民家の活用だけを考えてしまったことでカフェそのものとしての魅力に乏しく、歴史文化の力で引き寄せたお客に満足な経験価値を提供できなかったこと。二点目は、周囲の古民家カフェ開業によって稀少性を失ってしまい、その先にあるコモディティ化に対応できていないことである。

様々な方法があり、これをやれば成功するというものはないだろう。だが、古民家や文化財といったヒストリカル・ブランディングによるものであれば、カフェとしての魅力を高める以外にも、一般店舗ではできない脱コモディティができる。それは、建築物の魅力を活用した経験価値の創造だ。そのためには、古民家の歴史を徹底的に調査し、この地域においてどんな役割や価値を持ったものなのかを明らかにしていく歴史調査作業が必要だろう。

調査のなかで見つかった、その古民家ならではのストーリーを活用しながら、商品開発やサービスを設計するのだ。そうすれば、観光目的でやってきた人ならば、そのカフェに立ち寄ること自体が地域の魅力を体感できることとなり、観光地とカフェ両方の魅力を増すことができる。

歯に衣着せぬ言い方をするならば、歴史にあぐらをかいてはいけない、ということにつきる。歴史文化がない地域の方が依存できないために、どのようにすれば顧客経験を作れるか必死になって考えており、結果として歴史文化が残っていた地域よりも魅力的になっていくことも多い。過去の遺産を食いつぶしていくのではなく、過去の遺産を基にしてさらに魅力を磨き続ける姿勢が重要だ。そのためには、ハードとソフトの両面で総合的な経験価値を創出していく必要がある。

第七章　ヒストリカル・ブランディングの持つ可能性

――イノベーションを起こす歴史活用

地域の健康づくりをブランド化する試み

本書では、歴史が地域事業のヒントや合意形成資料として活用されるといった、差別化戦略を超える事例も紹介した。このような歴史にまつわる面白い試みが、日本や世界で実践されはじめている。それらを紹介しながら、ヒストリカル・ブランディングの可能性を考えてみたい。

いま、日本では全国で様々な地方創生事業が行われているが、急速に進む少子高齢化を背景に、改めて健康が政策的に注目されている。内閣府は健康と地域経済の関係について

「地域経済にとっては、全国より急速に高齢化が進み、既に人手不足問題への対応が喫緊の課題となっている地域もあるなかで、地域で生活する人々の健康は、地域の活力の維持・創出に大きく関わる」（内閣府、二〇二〇）と述べている。今や健康は個人の人生はもちろんだが、地域経済に影響を与える大きなイシューになっている。

これを受けて、健康をテーマにしたまちづくり事業も全国で実施されはじめている。面白い活動をしているのが、滋賀県長浜（ながはま）市にある特定非営利活動法人の健康づくり0次クラブである。0次とは「一人ひとりの体質に合わせて生活習慣などの改善を行い、病気の予防を推進するという考え方」だ。市民向けに健康啓発運動を実施しているが、単なる啓発を超えて、データに基づくまち全体の健康管理を大学と連携して推進しようとしている。

具体的に現在実施している事業は、京都大学と連携して、約一万人もの市民の健康データを集めた集団分析であり、0次クラブは地域の代表として市民の協力者を取りまとめている。

さて、「健康？　歴史と関係ないのでは」と思う方も多いだろう。私も一昔前ならばそう思っていた。ところが、これが地域での健康活動となると結びつく。ある日、とある研究者から次のような相談を持ち掛けられた。

「今後、健康啓発運動をさらに推進していきたいのだが、地域として独自性のあるものにしていく必要があると思っている。だが、考えてみるとそれが難しい。メンバーの中から、地域の独自性と言えば歴史なのではという意見があがった。歴史と独自性という話があったので、久保さんを思い出した。具体的にはワークショップをやりたいと思っているのだが、何かよいアイデアなどはあるだろうか」

健康政策は門外漢だが、地域とブランドに関係するなら、何かお役にたてるかもしれない。何より、健康とは一見関係ない「歴史」というワードが出てきたのが面白そうだと思った私は、ワークショップの講師をお引き受けすることにした。

自分でも調べてみると、健康啓発運動は、ある意味究極のコモディティともいえることが分かってきた。もちろん、人間は一人一人違うので、健康促進という意味では個別対応が必要なのだが、基本的には健康に良い生活を心がけようという話なので、全国どこにでもある話になってしまいがちなのである。

極端に言ってしまえば、多くの施策も抽象化すると「睡眠をしっかりとる、三食バランスよく食べる、運動する」となる。もちろん、これらはとても重要なことだが、これだけだと地域の独自色は打ち出しにくい。しかし、今回のオーダーは地域の独自色が出る健康啓発運動である。言ってみれば、長浜における健康づくりをブランディングしてほしいという話だ。そこで、私が提案したのが地域の歴史を使ったワークショップである。長浜だから豊臣秀吉のように生きよう、といったものではない。ライフヒストリーの考え方を活用したワークショップだ。

ライフヒストリーとは、山田浩之（一九九七）によれば、「ある特定の個人によって語られた、あるいは書かれた資料、すなわちインタビューや自伝、日記などに焦点を当て、それらに対する多角的な検討を行うことにより個人の経験や生涯を再構成しようとする手法」である。その際、注意すべきはライフストーリーとの違いである。ライフストーリーは「個人が主観的な立場から自身の経験や生涯を再構成したもの」であり、一般的にはインタビュー、自伝、日記などがあたる。

つまり、ライフヒストリーとは、個人の主観であるライフストーリーを様々な資料を基にして多角的に分析することで、「ある個人によって主観的に構成された内的世界を再現しようとする」営みである。

ワークショップでは、参加者から長浜での生活で幸福を感じた瞬間や、長浜人として尊敬できる幸福な人生だったと思う人について語ってもらった。それらをまとめていくと、長浜で幸福な生活をするためのライフスタイルが徐々に見えてくる。複数のライフストーリーを語ってもらい、皆で共有することで、健康のライフヒストリーを簡易的に作りだそうという試みだ。

ワークショップを進めていくと、長浜でしか得られない幸福な人生とは何かが見えてくると同時に、それを実現するためには、どんな健康が必要なのかが段々と見えてくる。そのような視点で考えると、地域に必要な健康が独自性を持つことも分かってきた。例えば、坂道が多い地域であれば足腰を保つことが必要かもしれない。長浜の場合では「琵琶湖の夕日を眺めている時に幸福を感じる」という声があったが、これを実現するためには緑内障対策などの眼科検診が必要になるかもしれない。

個人的に最も興味深かったのは、ユネスコ無形文化遺産である長浜曳山祭に参加している方の言葉だ。

「祭りの期間は毎晩飲むことになるし、様々なことをしなければならず、実に不健康な時間を過ごすことになる。この数日間の不健康を満喫するために、健康でなければならず、普段から意識している」

この発想は、一般的な健康啓発運動のワークショップからは出てこない発想だ。なにせ、不健康なことをすると宣言している。だが、祭りの担い手にとっては健康づくりに対する極めて強い動機付けになっている。

既に、医学技術は相当なレベルにまで達しており、単純に長生きは幸福という図式が成立しないことは、様々な分野から指摘されている。健康は目的ではなく、幸福な人生を送るための手段という原点に立ち戻る必要があるだろう。健康な身体であっても、精神的に不幸であれば苦しい。一方で、仮に病に冒されていたとしても、周囲に勇気と希望を与えるような生き方をしていて、自他ともに幸福だという人もいる。生きたい人生を地域がサポートすることが地域の健康づくり運動だといえるだろう。そして、それは地域によって異なってかまわない。

この土地で生きていく幸せ。そのために必要な健康とは何か。地域で生きる人たちの歴史を紐解く中で、独自の健康づくりのヒントが見えてくるだろう。それが可視化されれば、地域の魅力的なライフスタイルも提示できる。すなわち、健康づくりが地域ブランディングとなるのだ。地方創生と健康。一見、歴史に関係がない分野だが、地域のライフスタイルそのものをブランドにしていくという、ヒストリカル・ブランディングの実践例として、今後注目すべきものだろう。

食のイノベーションを歴史が起こす

近年、日本では地方創生や観光で食の重要性が高まっている。食を目的にした旅は昔からある営みだが、レストランを目的にした旅も一般的になってきている。こうした旅の目的となるレストランをデスティネーションレストランと呼ぶが、その多くは自分たちがいる地域に着目している。

その地域ならではの食材を活用し、食文化を感じられる食事は、その地域でしか得られない食の経験を創り出す。そのようなデスティネーションレストランではなくても、多くのシェフたちが食材の現場である地域に足を運ぶようになっている。今でこそ当たり前のように語られるが、かつての日本でそのようなことはほとんどなかったという。この流れは世界的な潮流となっている。

例えば、世界中でヒットした料理ドキュメンタリーに、ネットフリックスが配信している「シェフのテーブル」がある。これは、ミシュランのスター獲得シェフを含めた世界的に活躍する料理人たちを取材したものだ。その内容を見ると、美味しそうな料理を提供するだけではないことが良く分かる。出演者が自身のレストランのある国や地域の郷土料理の担い手であることも多く、単なる料理の解説にとどまらず、食に対する哲学や郷土料理を通じた文化継承にまで展開されている。

このレストランにおける変化も、コモディティ化という視点で解説することができる。辻調理師専門学校は、日本の食の未来ビジョンとして「ガストロノミーマニフェスト」を策定しているが、「世界の先端的な（高級）料理が均質化し、個性を失いつつある」と指摘している（辻調理師専門学校、二〇一七）。グローバル化と流通の発展は、特定の地域でしか食べることができなかった食材を運ぶことに成功し、料理人は世界中で開業している。東京を例にすれば、日本にいながらにして世界中の料理を楽しむことができる。食の世界は均質化が進んでいく構造になっている。

その時に重要になってくるのがブランド力だ。例えば、高級ワインの値段はとんでもない価格帯のものが存在しているが、この価格は原価積み上げ形式ではない。そのワインにそれだけの価値があると考える消費者がいることで成立しており、ブランドの力が強く作用している。このように、食においてブランディングの重要度はますます高まっている。

では、どのようにすれば差別化が可能なのだろうか。

マーケティング学者の上田隆穂（うえだたかほ）氏によれば、ガストロノミーを構成する要素には情報が存在している（上田隆穂、二〇二〇）。つまり、私達は頭でも食べているのだ。それを証明するかのように、先に紹介した「シェフのテーブル」に登場するシェフやミシュランでスターを獲得しているレストランは、食で何かを表現するといったものも多い。代表的なものが地域性である。その土地ならではの食文化、食材はストーリーを導き出すが、その源泉であり、裏付けこそが歴史だ。地域性を活かすだけであれば、昔から実施している人も多いだろうが、特に歴史に着目した面白い試みが起きている。世界のトップシェフ二名を紹介しよう。

一人目はフランスのアラン・デュカスである。デュカスは史上最年少でミシュランの三つ星を獲得した。さらに、異なる国に出店したレストランがそれぞれ三つ星を獲得した、世界初のシェフである。そのデュカスを取材したドキュメンタリー映画に『アラン・デュカス　宮廷のレストラン』がある（アラン・デュカス、二〇一七）。これは、フランスの歴史上はじめてとなるヴェルサイユ宮殿へのレストラン出店という出来事を中心に、デュカスの料理哲学を紹介した映画だ。

ヴェルサイユ宮殿という世界的ブランドの活用を描いたものでもあり、ヒストリカル・ブランディングの側面からも大変面白い。ハード資源をただ単に活用しただけでも圧倒的なブランド力である。だが、デュカスはそれだけでは満足しない。ソフト資源たるサービスのヒントを歴史を紐解くことにより見つけるのである。詳しくは映画を見てもらいたいが、メニュー開発やサービスにも歴史学者を含む専門チームを組織し、徹底的に歴史を検証している。

一方で、食における歴史の役割についてデュカスが語る象徴的なシーンがある。それはプロジェクトが進み、歴史学者らと時代考証について話をするところだ。メニューや食器の考証をしている際に、デュカスは「当時を反映しつつも進化させたい」「ある部分は時代に忠実な品を使い、残りの部分は自由に解釈を」「料理は現代風に解釈していい」と言い切っている。もちろん、徹底的に調べる。その上で、当時のレシピで明らかになっている食材や調理方法、名前などはしっかり守る。けれども、その制約下で現代人が最も美味しいと思うものを作り、料理を進化させるべきだと主張している。

もう一人は、イギリスのHeston, B.だ。Hestonは独学で料理を覚えたシェフであり、モラキュラー（分子）ガストロノミーという手法で世界的に有名になる。これは、料理を物理・化学的に解析しながら行う独特の調理法である。調理には実験室で使うような機材が用いられ、加熱する温度や時間など、細部にわたって科学的に分析する。

このような最先端の科学を駆使し、料理のイノベーションを推進していたHestonは、一九九〇年代後半に一五世紀のレシピ集を手に入れた。そこで彼が目にしたものは、古臭くて退屈な過去の記録ではなく、自らのインスピレーションを刺激するレシピの数々だった。Hestonは次のように語っている。

「過去の料理がこれほどまでに遊び心にあふれ、大胆で創造的なものだとは思いもよらなかった」(Heston, B., 2014)

その後、オックスフォード大学の食と料理のシンポジウムで出会った食の歴史家たちとチームを組み、本格的にイギリスにおける食の歴史研究を開始する。その実践は経営するレストランで提供されるが、なかでも「ディナー　バイ　ヘストン・ブルメンタール」は、イギリス食文化の温故知新を掲げ、イギリスの食文化の歴史を体感するものになっている。例えば、このレストランではメニューの後ろに数字が書かれているが、それはレシピが記録されていた年代を表している。(一四五三)とあれば一四五三年のレシピという意味だ。

ご存じの通り、イギリスの食文化はイメージが悪い。ある意味、イギリスの食文化はマイナスブランドになっているのかもしれない。だが、Hestonはむしろそれを逆手に取る形でイギリスの食文化の豊かさを歴史で裏付けし、他にはないレストランを創りあげた。

ここまでくると単なるレストランという存在ではなく、イギリス食文化のブランド価値を高める存在にすらなっていると言ってよいだろう。

このように、いま、食は単に栄養をとる為だけのものではなくなっている。特に観光や地方創生では、食は観光客に美味しさを提供するのみならず、その地域らしさを伝え、地域ブランドを高めていくための重要なメッセンジャーの役割を担っていることが分かる。先に示した日本版ガストロノミーマニフェストにも、日本ならではの豊かな食文化の創造といった視点が強調されている。また、私自身もツアープログラム作成をはじめ、食と歴史に関係する仕事を地域で実施するなか、実感していることだ。

本書の関心からすれば、歴史の存在が差別化戦略として活用されるのはもちろんだが、単純に復刻するだけではなく、新しい料理を生み出すインスピレーションの源泉として活用できることに気づく。実際に、デュカスもHestonも自分たちの料理を厳密な意味で「歴史」であるとは語っていない。あくまで歴史からインスピレーションを得たという表現をしており、現代的にアレンジしている。

これは決して歴史を軽視しているわけではない。歴史が創造性を刺激することで、料理にイノベーションをおこしているのであり、未来への道標（みちしるべ）になっている。

新しい公共財としてのデータ

本書でも紹介したように、歴史文化は地域ブランドの核となりえるものだ。だが、歴史を核にした地域戦略は、時として歴史とは真逆にすら思える、最新技術による地域イノベーションを促進させる可能性まで持っているようだ。兵庫県豊岡市で、それを示唆する動きが起こっている。

兵庫県豊岡市は二〇〇五年に合併で誕生した。但馬地域に位置しており、兵庫県で最も面積が大きい市だ。城崎温泉を有する城崎、但馬の小京都といわれる城下町の出石、コウノトリと共生する日本屈指のカバン生産地豊岡、北前船の寄港地でもあった海を有する竹野、複数のスキー場を持つ神鍋高原がある日高、農業地域としてふるさとの面影を感じる但東。それぞれの個性を持つ地域が合併して誕生した。

城崎温泉は志賀直哉の『城の崎にて』が有名だが、そのはるか前である奈良時代の七一七年に、道智上人という僧侶が難病の人々を救うために一〇〇〇日間にもわたる修行を行い、七二〇年に温泉が湧きだしたのが始まりとされる。二〇二〇年には開湯一三〇〇年となった長い歴史を持つ温泉地だ。一時期は国内観光客の減少に苦しんでいたが、近年ではインバウンド観光に力を入れており、外国人宿泊者数が六年で約四五倍を達成。国内向けにも様々な施策を実施するなど、先進的な取り組みで注目されている。実際に、豊岡市のDMOである豊岡観光イノベーション（TTI）は第一三回観光庁長官表彰を受賞している。

私は数年前からTTIのアドバイザーとして国内外向けの観光振興に取り組んでいる。もちろん、差別化戦略としてヒストリカル・ブランディングにも取り組んでいるが、データストラテジー株式会社の研究員としても関与しているので、デジタルマーケティングの実装についても一緒に活動している。そこでは、歴史とイノベーション技術の接点も始まっている。

二〇二〇年、世界中を巻き込んだコロナウイルスによるパンデミック時に、豊岡市ならびにTTIはいち早く地域全体で対策を行った。例えば、感染拡大が深刻になってくると、城崎温泉は二〇二〇年五月末まで全旅館が一斉休業する思い切った対応を行っている。緊急事態宣言とはいえ、「統一感」を出すことはかなり難しい。組合などがあったとしても、究極的には各旅館やホテルは一国一城であり、営業の自由はそれぞれに存在している。それらを規制することは法律では不可能だからだ。

しかも、城崎温泉の一斉休業は、ある意味では「攻めの休業」でもあった。六月一日からは開業するという目標を設定すると共に、休業している間に感染対応を行うニューノーマルの旅行受け入れ態勢を構築するため、その準備として城崎温泉の感染症対策ガイドラインの策定に動いたのだ。ガイドライン策定に私もアドバイザーとして入ったが、単なる感染症対策ではなく、マーケティング的側面も考慮された地域としてのメッセージ性を含んでおり、「攻め」のガイドラインとしての特徴を持っている。

城崎温泉の外湯風景

例えば、参考にしている基準は海外で展開するグローバルホテルに準拠しているのだが、これはインバウンド観光復活を意識したメッセージだ。まずは城崎温泉からスタートしたが、もともと全市への適用も考慮していたため、すぐに豊岡市の感染症対策ガイドラインとして出石、竹野、日高、但東といった全市でも適用された（久保、二〇二〇）。

本書の関心からすると、ガイドラインの内容よりも、なぜ、まち全体で一体感のある取り組みが実現できたのかが興味深い。ヒントになる言葉が城崎温泉観光協会の高宮会長（二〇二〇年当時）のコメントにある。

「本来、すべての旅館が一斉に休業するのは簡単なことではない。しかし城崎温泉は小さな旅館が集まった街で、昔から『まち全体で一軒の旅館』という考え方を持って共存共栄を図ってきた。だからこそ、一斉での休業が決断できたのではないか」（ダイヤモンド・オンライン、二〇二〇）

「共存共栄」という発想である。実は、この考えは城崎のみならず、豊岡の地域経営哲学ともいえる概念として語られている。この経営哲学は何の問題もなく引き継がれたものではない。むしろ、何度もまちとしては試される拮抗状態が続くなか、都度、それぞれの時代に改めて価値として認められ、言語化され、引き継がれてきたものだ。その最も大きな契機は、一九二五年（大正一四）の北但大震災における被災からの復興と内湯訴訟だと言われる。

北但大震災からの復興では、防災上の観点からいえば、城崎であれば、すべての旅館をコンクリートなどに建て替える方が合理的でもあった。外湯という伝統から内湯に変更することもできただろう。だが、城崎は木造建ての景観という自分たちの歴史を選択した。外湯もまったく同じ場所に復興させている。このことは、組合のWEBサイトのみならず、各旅館が更新するｂｌｏｇにも城崎の共存共栄の象徴として語られている。

内湯訴訟は、まちを二分するほどの熾烈な対立関係を生み出すものだった。これは、外湯文化であった城崎温泉で、ある旅館が自分の旅館に温泉を引く形で内湯をつくろうとしたことを巡って起きた。当時の法律的な結論としては、近代的な法概念に基づいて、内湯は敷地内における私的財産として合法的とされた。反対派はどのようにこのロジックに立ち向かったのか。訴訟で反対派が提示した根拠は、外湯とはまちの公共財産であるということを記した歴史的文献資料だった。歴史が根拠になったのである（神戸新聞但馬総局、二〇〇五）。

重要なのは、共存共栄という経営哲学を確立する上で、城崎の人たちは自分たちの歴史をそのよりどころにしたということだ。さて、ここで話を過去から今に切り替えよう。いま、新しい時代の公共財について検討が行われている。それがデータである。

豊岡は観光におけるデータ活用を極めて重視しており、実際にＴＴＩでは自らの手でデジタルマーケティングを実施している。私自身も毎週の定例会議に参画しているのだが、毎週上がってくる観光データを基にして、広告や方針について参加者が討議している。

報告をして終わりではない。TTIには役場、観光事業者、地元IT企業といった多様な専門家が参画しているので、それぞれの流儀は厳密には異なるが、全員のアイデアがデータに基づいて議論されるため「空中戦」になりにくい。TTIはこういった観光におけるデジタルやデータ活用を地域事業者の競争力に転換するべく、IT普及などにも積極的に行動している。

近年、観光においてDXは大きなテーマとなっているが、それを実現するためにはデータ活用が欠かせない。DXは単なるIT活用による作業の効率化ではなく、デジタル技術による生活の変革を志向するものであり、既存の価値観を覆す技術革新が期待されるものである。見方によっては「歴史」を破る側に見えるかもしれない。だが、どうもそうではないようだ。

豊岡市は、DX実現に向けて動きを開始しており、具体的な試みに「街全体が1軒の温泉旅館」というものがある。観光庁や経済産業省などから観光DXの先進事例としても紹介されている。そのデータの取り扱いについて示唆深い話がある。旅館等の宿泊事業者にとっては、本来データは自分たちだけで秘匿したい情報である。データの共有は競合事業者を利する可能性もあると考える方が一般的だろう。けれども、まち全体が一つの旅館とする、共存共栄という自分たちの経営哲学からは「公共財としてのデータ」という発想が生まれている。つまり、豊岡は「地域の公共財としてのデータ」と「私企業の機密情報としてのデータ」という矛盾を、共存共栄という地域の歴史が育んできたコンセプトで突破しようとしているのだ。

今後、どのような結論になるのかは分からないが、既存の価値観を破壊するイノベーション的改革のよりどころが、まちの歴史から読み解かれようとしているのだ。

歴史がまちをイノベーションする

ここで、改めてVRIO理論の独自の歴史的条件を思い出してほしい。ある時点での歴史的制約が生み出した内部資源が価値を持った時、競争力の一つである模倣困難性となるというものだ。城崎の事例でみるならば、外湯の共同利用、北但大震災、内湯問題など多くの出来事があったが、それでも、まちは最終的に「共存共栄」を選択している。これがまちの特徴だと皆が共有していること自体、他地域に模倣できない無形資産となり競争力を高めている。

これは、城崎以外の地域でも見ることができる。例えば、佐原も同じように歴史からまちを象徴する思想を発見している。それが「江戸優り（まさり）」という言葉だ。佐原は元々まちづくりとして「小江戸」という言葉を使っていた。だが、小江戸ブランドでは川越が先行している。それに加えて、本書で指摘したように、そもそも佐原は江戸の模倣ではなく、独自のまちを志向していたこともあり、まちづくりグループの中で小江戸以外の言葉を探す動きがあった。そこで発見されたのが、江戸時代に佐原を歌ったフレーズ「お江戸見たけりゃ、佐原へござれ、佐原本町江戸優り」である。ある意味、江戸に喧嘩（けんか）を売るような言葉だが、ここには佐原の自負があり、「徹底したローカリズムの可能性」が示唆されている（佐原アカデミア編、二〇二三）。

個人的に、この江戸優りという言葉はとても好きだ。独自性を追求してきた佐原の自負を感じさせることもあるが、東京よりも自分たちが優れているところを探して、それを前面に出す発想を促す、ブランディング志向のメッセージだからだ。今後、佐原は新しい試みをしかけていくだろう。その際に「それは江戸優りなのか」と問いかけることは、東京とは違う魅力を実現するためのぶれないコアコンセプトとなるだろう。

このように、地域にとっての歴史を単なる知識で終わらせるのではなく、イノベーションを生み出すためのブランドコンセプトへと昇華させる事例が生まれている。なぜ、歴史がイノベーションと結びつくのだろうか。これについて、歴史学者であるリン・ハントの次の言葉がヒントになるだろう。

「歴史の最も永続的な魅力というのは、現在の関心事に対する視座を与え、そこからの一種の解放感を与えてくれることにある」（リン・ハント、二〇一九）

歴史は過去に自分を縛るものではない。実は、現在我々が当然と思い込んでしまっているものが、当然ではないことを教えてくれるのだ。我々は歴史を知ることで、現在の常識の呪縛（じゅばく）から解放され、大胆で革新的なアイデアを生み出す柔軟な思考の土台を手に入れるのである。

こうした柔軟な発想から生み出されたブランドコンセプトは、様々な分野に応用することができる。例えば、観光であれば、ＷＥＢ、パンフレット、動画、プロモーションといった活動などはすべてコンセプトから生まれる。新商品や新規事業も作りやすい。ブランドコンセプトとなった歴史は未来を創り出す。

歴史とは、未来への視座を得るために過去を見つめることでもある。

コラム三　実践する上での注意事項

三つのフェーズ

本書では、様々な領域で歴史が果たしている役割と力について見てきた。これらの実践をしていく中で課題もある。最後に、これからヒストリカル・ブランディングに挑戦しようと思う皆さんに、実践前、実践時、実践後の三つのフェーズで特に注意すべき点を紹介したい。

実践前——歴史は消失しないが、記憶からは無くなる

近年、地球環境の悪化から、気候変動をはじめとした自然の変化が生じてきている。環境問題としての深刻さは当然だが、観光に与える影響も深刻だ。持続可能な観光に向けて、自然への向き合い方は待ったなしの対応が求められている。これに比べると、自然と違って歴史的事実が消失することはない。そのため、自然に比べて使っても減らない「資源」と思う人もいるかもしれない。しかし、歴史にも特有の課題はもちろん存在

する。

まず、自然は環境悪化などで消失することもあるが、歴史は消失しないという主張については、正しいのだが間違ってもいる。歴史的事実は起きたことなので、確かに消失することはないが、人々の記憶からは消失するのだ。本書で紹介した事例のなかでも、菊池一族を知る人は年々減っていたし、横芝光町にいたっては地域のみならず、日本のなかでも一部の人しか大木市蔵を知らないという状況だった。

つまり、歴史は残すという意思がなければ記憶から消失する。もちろん、観光振興などですぐに活用される文化財などは残りやすいだろう。ところが、今回紹介してきたように、差別化戦略となる歴史の多くは文献資料であり、またそれらからは今ではないどこかのタイミングで大きな価値を生むケースも多い。とにもかくにも「歴史を残す」という行為そのものが大事になる。その蓄積はまちの競争力に繋がるだろう。

歴史というと、江戸時代や戦前といった昔を想定する人がほとんどだろう。だが、それほど昔ではない過去。経営学者の楠木建がいう「近過去」をアーカイブ化していくことも重要だ（近過去のビジネスにおける活用方法については楠木・杉浦（二〇二〇）を参照）。近年では、観光まちづくりの実践を歴史資料として収集し、アーカイブ化する動きもみられる。

例えば、私が関わったことのある二つの事例を紹介しよう。千葉県の佐原では、商工会議所や地域団体などが中心となり、佐原の大祭を中核とした観光まちづくりに関するヒアリング調査を定期的に実施しており、私も一緒に調査を行ってきた。これらの蓄積を踏まえて、現在ではNPO法人佐原アカデミアが中核となり、大学などの研究機関と連携して調査研究を進めており、その成果は書籍としても発刊されている（佐原アカデミア編、二〇一七、二〇二三）。

また、大分県の由布市では、行政の動きの中にまで組み込まれている。既に由布院のまちづくりは書籍も多数存在しているが（例えば、中谷健太郎（二〇〇六）、野口智弘（二〇〇九）など）、由布市まちづくり観光局は二〇一九年に「由布市観光まちづくりアーカイブ（仮称）」の構築に向けた考え方や具体的整備を提案した。

この、観光まちづくりアーカイブの整理と活用を一過性で終わらせることなく、二〇二二年の観光基本計画の基本方針戦略の一つとして「『原点回帰』のための地域の観光まちづくりアーカイブの整理と活用」は正式に観光戦略となっている（由布市観光基本計画2022年2月）。

「その歴史は由布市らしさを作り上げてきた蓄積であり、未来のまちづくりにおいて常に参照されるべき原点でもあります。歴史を単なる過去の出来事で終わらせるのではなく、未来を作り上げるエンジンにできるよう、各種資料の整理と活用方法の検討を進めます」とされており、まさに本書で紹介した未来志向の歴史活用を目指している。

歴史の残し方には、色々な方法があるので、各地域で工夫が必要になる。予算が潤沢であれば、郷土資料館のような形で集積させていくことになると思うが、すべての地域がそのような施設を持っているわけでもない。その場合には、例えば横芝光町のようにWEB記念館といった形でオンライン上に集積させていく方法も一つだろう。

実践時――専門家をつなぐコーディネーターの育成を

ヒストリカル・ブランディングを実践しようとする時に、多くの人が参考にするのは自治体史のようなものだと思う。地域の人々が自治体史を紐解いて実践するのは素晴らしい活動である。しかし、専門家に頼らず、自分たちだけで実践することにはリスクもある。

日本最大級の偽文書について書かれた中京大学の馬部隆弘氏の『椿井文書』（以下、馬部隆弘〔二〇二〇〕）は、そのリスクの構造を紹介している。椿井文書は関西圏で観測された、数百点にもわたる創作された偽史文書である。ところが、偽史でありながら観光や教育に活用されてきており、自治体史にも掲載されてしまっていた。

「椿井文書は、人々がかくあってほしいという歴史に沿うように創られていたため受け入れられた」と馬部氏は指摘しているが、この構造は現在でも変わらない。いや、むしろ強化すらされている。なぜなら、直接的に「役に立たない」と思われている人文系学問は、予算削減に象徴されるように重視されない傾向が強まっているからだ。最後の牙城となっていた郷土史に関わる教員たちも、昨今の激務から研究活動は減少する一方だ。反面で、観光や教育に歴史を積極的に活用しようという機運はむしろ高まっている。「このような社会状況と偽史の受容は、必ずしも無関係とは思えない」と馬部は指摘する（馬部、二〇二〇）。

　歴史学全体の課題も指摘しているが、本書の視点からすると、歴史の「使い方」に関する問題を指摘したい。椿井文書は確かに偽史だが、中世の人々の精神性を理解する上では非常に重要な史料だ。この視点から観光や教育の目的を達成できる活用方法を見いだせれば、問題は解決できる。

　だが、私の経験からすると、そんなに簡単な話ではない。歴史学側はあくまで歴史学の視点から話すが、地方創生側は多くの場合経済の視点から話す。はっきりいって、お互いに違う「文法」で話すので、なかなか一致点が見いだせない。

　現実的には、両者を結びつけるコーディネーターのような人が入り、互いの目的を一致させる歴史の活用方法を見出していくことが必要だろう。そのためには、歴史的側面、観光を含む経営的側面、地方創生的側面といった諸領域の言葉が分かる人が必要となる。この分野は明確な職業名がついているわけではないものの、今後その必要性は高まっていくと思われる。そして、歴史学を学んだ人材は、この分野で活躍していく可能性があるし、そういったマーケットを創っていく必要があるだろう。私自身、歴史学研究から民間へ転身したという背景もあり、この人材育成は今後に取り組みたい大きなテーマだ。（註：歴史学を専門に学んだものが、学術的な場の「外」の世界に飛び出して、歴史学の専門的な知見や技能、そして思想を活かす幅広い実践はパブリックヒストリーと呼ばれており、世界的に広がりを見せている学問分野である。詳細は菅・北條（二〇一九）を参照。ただ、菅・北條（二〇一九）では私が主張するような経営と歴史の橋渡しに関する実践は紹介されていない）

実践後——時代の変化に対応するため、データでモニタリングする

かつて一世を風靡した観光地が、寂れてしまったという話は良く聞く。ヒストリカル・ブランディングによる実践は差別化を生み出すので、それを回避できる可能性は高いと私は思うが、もちろん放置して良いというわけではない。実践されたものを常に検証し、改善していくモニタリングは他の事業と同様に重要である。

特に、歴史文化は時代と共に認識や価値が変化する可能性があり、注意する必要がある。かなり極端な例だが、菊池の事例で見たように、日本では戦前と戦後で歴史観は大きく変更されており、戦前における郷土の英雄への認識変化が起きた。

イギリスの歴史家ギャディスは「歴史の意味は歴史を作り終わっても──歴史を書き終わってからさえも──固定したものではないということをわれわれは示している」(Gaddis, J. L., 2002) と表現しており、人々の歴史認識は固定されたものではないと主張している。ただ、これほどまでの大きな変化はむしろ分かりやすい。本当に恐れなければならないのは、緩やかな変化である。

地域の歴史文化は、急速に認識が変化することはそこまでない。どちらかといえば、緩やかに変化していく。だからこそ分かりにくく、気づいたころには手遅れになっているというケースも少なくない。それを防ぐためには、定期的なモニタリングが重要となる。その基本となるのがデータだ。だが、データを分析し、把握をしようとするには注意が必要だ。歴史文化は価値の要素が大きいため、定点観測のための指標を間違えると判断を誤る可能性が高い。

例えば、来場者数や売り上げだけを目標指標にしてしまうと、人数を増やすための施策を志向することになるが、それは従来のファンにとっては好ましくないものになり、若干の来場者数向上と引き換えに貴重な顧客を喪失してしまうかもしれない。また、売り上げだけで判断すると、「今だけの評価」で優劣をつけてしまうことになりがちで、将来、重要な価値を持つかもしれないものがなおざりにされる。祭りや町並みが佐原の三悪とされていたことを思い出してほしい。

すべての業種にいえることだが、特に歴史文化をデータによってモニタリングしていく際には、データ戦略立案はとても重要になる。そして、戦略立案には地域として歴史文化とどう向き合っていくのかという、経済的側面以外の要素も検討をしていく必要がある。デジタルを含むデータ戦略とは手段なので、目的がはっきりしているほど、その効果を大きくするからだ。

その意味では、学芸員や保存運動など、歴史文化を守る側の人たちほどデータ戦略を学ぶことで得られる力は大きい。私自身もデータ戦略会社の研究員としてこのテーマに挑戦しているが、今後さらにデータ戦略がその重要性を増していくことは間違いないだろう。

終　章　「勝つための競争」から「負けないための競争」へ

ヒストリカル・ブランディングが繋ぐ歴史と経済

私がヒストリカル・ブランディングを志して起業した段階では、歴史的資源活用という声は率直にいって、それほど注目されてはいなかったが、現在では政府が旗振り役となり、看板「商品」の一つになってきている。こうした動きは、歴史文化の重要性を高めることでもある。しかし、その多くは文化財の利活用といった「集客力」があるものに偏重している。

また、一部でバランスを欠いた「歴史活用」の動きが歴史文化の破壊につながるという批判が生まれているのも事実だ。文化財で手っ取り早く儲けようという発想は、こうした文化を棄損する「リノベーション」を促進させる。歴史の「活用」は、表向きは歴史文化を守るという論理でありながら、実際には破壊を促進してしまうこともあるのだ。

そして、住民による地道な歴史的景観保護等によって知名度が上がってきたエリアに外部資本が参入し、風情をなくすような営業で地域の価値が下がる例は、過去の話ではない。景観を無視する派手な色や看板の設置といった極端なものはなくなったが、地域が長い年月をかけて守ってきたものを希薄化する事例はいまだに存在する。

このような視点から、観光や歴史活用について批判的な声も少なからず上がってきている。その際、歴史の持つ文化的価値と経済的価値は二項対立で語られることが多い。

具体的には、小樽の事例で紹介した保存と活用の対決だ。深刻な場合には、互いに違う「文法」で話すため、その溝は埋まらず、もはや聞く耳をもたないという状況にもなるだろう。むろん、普遍的にどのようにしていくのかといった学術的なレベルでの論争はさらに積極的に行っていくべきである。一方で現実としては、現場は切羽つまった状況であり、待ったなしだ。悪質なケースを除き、どちらの意見も地域を何とかしたい、地域にとって大切なものを守りたいという気持ちから語られており、ある意味でどちらも正しい状況が多いと思われる。

ヒストリカル・ブランディングが志向するのは、こうした歴史文化と経済の関係を不幸な対立関係ではなく、互いに強化される相互補完関係にすることである。このように書くと、結局は、歴史を使って金儲けをすることだけが目的なのではないかと思われるかもしれないが、それは違う。相互補完関係を目指すことは、金銭的な課題という表層的な部分だけではなく、価値の問題となるからだ。

これは、歴史とは形がないという特徴に由来する。もちろん、歴史的建造物や文化財などは形がある。しかし、それは我々がそれらの歴史を知っているからだ。建物は残っても、歴史が忘れられれば、単なる古い建築物となる。佐原の具体的な事例を示したが、今でこそ人気の歴史的景観が、ただの古い建築物としてしか見られていなかったという話は全国に数多く存在する。建築物は歴史を思い出させるシグナルにはなるが、歴史そのものではない。歴史による価値の創出のためには、まず歴史そのものを人々の記憶や心に残す必要が出てくる。

つまり、相互補完関係を文化的価値の側面から言い換えるならば、歴史を一部の人たちしか知らないという、歴史継承をするには惰弱的な状況から、社会や経済に組み込むことで、より多くの人々に歴史を想起させ、記憶を残し続けるシステムを構築することである。そのシステム実装を実現するためには、歴史が現代的価値を持つ必要がある。それが経済的価値だ。経済的価値を活用して幅広い存在に重要性を認識してもらい、愛着を持ってもらうことは、歴史の持つ価値に気づかせるきっかけとなる。

そして、この経済的価値を短期的な消耗商品としてではなく、長期的な競争力へと転換することを志向するのがブランディングという手法だ。歴史によるブランディングは、正しく行えば経済的価値と文化的価値を両立することができる。このブランディングが持つ性質は、グローバル化により寡占状態が起きつつある経済環境で、地域や企業（特に地方中小企業）の強みを活かす経営への示唆をも含んでいる。その背景にあるのは、競争というキーワードである。

二つの地域間競争

地域間競争は国内外で年々激しさを増しており、観光領域のみならず、企業誘致や移住といった領域にまで拡大され、熾烈に行われている。こうした状況から、「競争」のプラス面だけではなく、マイナス面を指摘する声も多くなってきたように思われる。自由主義経済の拡大と共に競争は切磋琢磨ではなく、勝者と敗者を生み出し、その格差を拡大していった。その原因こそが、競争を促す社会の姿勢にあるといったイメージだ。

実際、現在の日本の地域間競争には、そのイメージは合致しているだろう。なぜなら多くの場合、地域間競争を語るときの目的が経済的利益を指標にした競争になっているからだ。いわく、儲ける観光、儲ける農業。経済的利益という同一基準において、他地域よりも勝ることが目的になっている。いわば「勝つための競争」をしているといえよう。

だが、この「勝つための競争」には大きな課題がある。同じ基準で戦う以上、明確な勝ち負けが発生する。これにより勝者と敗者が生まれ、その格差もはっきりとした形で示されることになるからだ。もう少し踏み込んで言うならば、同一基準間競争では、最終的な勝者は一人しか存在しない。地域間競争で経済的価値を絶対の基準にした時に、勝者は一地域のみとなる。

本書の冒頭でも指摘したが、経営学が考える競争はもっと広い意味を持っている。改めて次の指摘を引用しよう。

「競争には、同じ価値基準上の優劣差異を競うものだけではなく、新たな価値基準の構築すなわち分類差異を競うものが存在する。前者が勝ち負けが明確になるという意味で『勝つための競争』だとすると、後者は勝敗が決するのを回避できることから『負けないための競争』とみなすことができる。そして、地域ブランドが目指すのは、後者の負けないための競争である」（小林、二〇一六）

ヒストリカル・ブランディングは、この文脈でいうならば、歴史を使って分類差異を構築する方法論だ。小林（二〇一六）はさらに、地域ブランディングで実践される「負けないための競争」は、勝者が敗者を駆逐するのではなく、むしろ共創を生み出す可能性を有していると主張する。なぜなら、地域は全国ブランドやグローバル・ブランドに比べると、地理的な制約から量的拡大が難しく、この自らの資源のなさを補う方法として、他の地域ブランドと共創を模索する志向が生まれやすいからだ。一般的には競合となりえる同じブランド群を形成している他地域と比較した際、特定地域と深く結びつくことで分類差異が行われている。

例えば、紹介した事例でいえば、菊池一族は「南北朝の歴史」というブランド群を他地域と共に構成している。ところが、同時に菊池一族は菊池という地域と深く結びついており、他地域は模倣できない。そうなると、菊池にとっては「南北朝の歴史」ファンの奪い合いを行うよりも、むしろ他地域と共同して「南北朝の歴史」ブランドの人気を高めていく方が望ましくなる。

これは、面白い現象を生み出す。すなわち、大きなブランド群を強化するという意味では統一されているが、個々はそれぞれの価値を前面に押し出そうとするので、ブランドの中に多様性が生まれるのだ。こうした競争的環境の中での協調が実現すると、多様性を武器にして、単一ブランドでは獲得できない需要を獲得できるようになる。小さなブランドであることがメリットになるのだ。

グローバル化が進む状況下、一部の巨大資本ブランドへの過度な一極集中が進み、多くの中小ブランドは危機に陥っている。地域におけるビジネスは、その危機の最先端にいるといってもいい。だからこそ、地域ブランドが示唆する「負けないための競争」は、各企業の多様性を保持しながらも、全体としてはグローバル・ブランドに対抗するという新しい道を示している。

だが、これを実現するためにはパイの奪い合いにならないよう、他に模倣されない強い独自性がなくてはいけない。繰り返すが、その有力な方法こそが、歴史だ。歴史を見つめることは脱コモディティを実現する。「歴史は模倣できない」からだ。

経済的競争から価値的競争へ

ここで、話を地域ブランドから少し広げて考えてみよう。現在の地域間競争は「稼ぐ」という同一基準の経済競争となっている。しかし、このルールでは勝者は一人しかいない。だからこそ、地域はそれぞれの地域性を強みとして、他地域が模倣できない価値を提示する方向へと転換していくことが望ましい。誰かが独り勝ちする「勝つための競争」から、それぞれにとっての「価値」を目指す「負けないための競争」へと切り替えるべきではないだろうか。

移住定住といった視点であれば、どの地域が一番儲けられるのかという経済的競争から、ある価値観に基づいた時に、どの地域で一番幸せな生活ができるかという、価値的競争へと転換していくべきだろう。勘違いしてほしくないのは、私は経済的価値が必要ではないと言っているわけではない。経済的価値は極めて重要だ。ただ、経済的価値の追求を目的にするのではなく、何を実現するために経済力が必要なのか、それを決めることが最も重要ではないだろうか。

これは地域に関わらず、ビジネス全般にも言えることだ。私企業である限り、会社の利益を上げていくことは重要だ。けれども、「儲ける」という同一基準での行き過ぎた「勝つための競争」が、粉飾決算や資本家から投資金額を集めることだけに特化した虚業のようなビジネスを生み出してはいないだろうか。会社としてマネーだけを目的として競うのではなく、会社が生み出す価値を競う「負けないための競争」を志向していくことが重要ではないだろうか。この経営戦略は、中小企業が多いという日本の特徴を、弱さではなく、強さに変える可能性も指摘されている（小林、二〇一六）。

本書では地域を事例にしたため、企業視点からのヒストリカル・ブランディングは大きく取り上げていない。だが、レストランなどの例を紹介したように、企業によるヒストリカル・ブランディングの可能性は大きく、実践例も増えてきたように思える。特に、地域企業はこの課題の最前線にいるので、今後とも調査と実践をしていきたい。

今日は未来の歴史になる

話をヒストリカル・ブランディングに戻そう。ここまで、脱コモディティを実現するためのブランディングにおける歴史の重要性を説明してきた。そして、ヒストリカル・ブランディングの実践は差別化以外にも、経営教育、地域への愛着、イノベーションの促進など、様々な地方創生への効果をもたらしていることを示してきた。なぜ、このように幅広い影響が出るのだろうか。それは、歴史とは今に至るまでのすべてを含むものだからである。何かの今を形成してきたすべての原因は、歴史という言葉で表現される。

地域を対象にして説明するならば、地域の歴史とは地域の生きざまに他ならない。ライフスタイルや人々の気質といったものは地域の歴史によって育(はぐく)まれてきたものであり、自然、土地、人、文化、あらゆるものに歴史は存在している。「なぜ、この土地は魅力的なのか」という問いに答えるためには、地域の過去と向き合う必要が出てくる。これは企業も人も同じだ。今を理解するためには、今という結果を生み出した原因を過去から知る必要がある。

歴史とは、現在という結果の原因である。

そのように考えると、実は一つ重要なことに気づく。それは、今の我々の行動も未来においては歴史になるということだ。今日は未来の歴史になる。次の世代が実践する未来のヒストリカル・ブランディングは、今のあなたにかかっている。

おわりに

「パパ、だから歴史が何の役に立つのか説明してよ」

歴史学に携わるものであれば、だれもが一度は投げかけられるセリフだ。この素朴な疑問への共感（そして、その裏に込められた「役に立たない」という批判）は、昨今の高等教育を取り巻く状況を見ると、さらに増しているように思える。だが、冒頭に紹介した言葉は、現代の話ではない。この言葉を投げかけられた人物はフランスの歴史学者マルク・ブロック。一九三〇年代の話である（ブロック、二〇〇四）。そう、歴史が役に立たないという主張は、昔から行われていたのである。ブロックはこの疑問に答える形で『歴史のための弁明』という本を執筆した。

詳細は省くが、私はかつて歴史研究の道を進んでいた。ところが、両親の病気や、それに伴う介護など様々な理由から、当時としては珍しいSNSを活用したマーケティング企業へと転身。いわゆるアカデミック・ドロップアウトした。歴史学者からWEBマーケティングの世界への転身は異例であり、私の周りにモデルケースはいなかったが、幸いにして異色の経歴だった私を最初に受け入れてくれた会社では様々な出会いに恵まれ、社会人としての基礎を叩(たた)き込んでもらえた。しかし、並行して両親の介護も年々その重さが増していった。

介護と仕事の両立。そして、歴史への思い。そのすべてを実現する方法として私は起業という選択を行った。正直反対する人は多かったが、ビジネスの世界でも歴史は武器になるという自分のコンセプトを貫いて、現在に至っている。歴史にｉｆはないが、もう一度大学院生に戻ったとして、同じような人生を歩める自信はない。やはり、歴史は模倣できない。

ここ数年で観光分野を中心にして、地域での歴史文化の価値は大きく変化している。歴史文化がビジネス的にも意味があることを多くの人が実感し始めている。だが、一方でそれは短期的な経済指標で歴史文化を評価する動きを加速させ、マイナスの部分も大きくなってきている。そのような問題意識から、本書は歴史文化と経済が対立軸ではなく、互いに強化する関係になりえることをブランディングという視点で分析した。

私自身は、本書はどこまでも実践の書になることを期待している。また、今後はヒストリカル・ブランディングの研究実践を続けていくと同時に、「負けないための競争戦略」について、企業にまで範囲を広げて分析していきたいと思っている。

独立してからヒストリカル・ブランディングという概念にまで整理できたのは、多くの方から様々な形でご指導をいただいたからに他ならない。本来ならすべての方を紹介したいが、ここでは代表の方のみになることをご容赦いただきたい。

まずは、何より本書でも紹介した地域でご一緒している皆さん。現場で共に汗を流しながら、理論だけでは見えない世界を教えていただいた。また、取材にも快く応じていただけた。本書の執筆動機は何よりも皆さんの実践を世に伝えたかったということである。

現場の実践知をヒストリカル・ブランディングという概念にまで引き上げてくれたのは、指導教官の大阪市立大学の小林哲先生である。アカデミック・ドロップアウトした私を再び経営学研究という学問の場へと迎え入れてくれた。師匠と弟子ではあるが、互いを対等な関係として鋭く議論していくスタイルの指導は、時に厳しいが、研究の大変さと面白さをいつも教えてくださっている。

歴史への向き合い方を教えてくださったのは、歴史時代の指導教官であった季武嘉也(すえたけよしや)先生である。独立直後に歴史学とビジネスの関係に悩む私の背中を押して下さった。

そして、出版の直接のきっかけとなった京都大学客員准教授の瀧本哲史（てつふみ）さん。二〇年にわたってNPO法人で共にディベート普及活動をしてきた。また、個人的にはビジネス面でメンターとして何度となく相談に乗っていただいた。朧気（おぼろげ）ながらもヒストリカル・ブランディングという概念ができはじめた頃に、一緒に実施していた研修事業でその話をしたことがあった。その際に出版を勧められたのだが、実現しないまま、瀧本さんは夭折（ようせつ）されてしまった。本書は瀧本さんからの宿題への回答でもある。

出版の実現には、大学時代からの先輩でもあり、瀧本さんの遺志を継いで一緒にディベート普及を行っているオトバンク会長の上田渉（うえだわたる）さんに大変にお世話になった。また、上田さんの紹介とはいえ、出版経験がなく、さらにどこの馬の骨とも分からない私の編集を担当していただき、基本から指導してくれた角川新書編集長の岸山征寛（きしやまゆきひろ）さんには心からお礼申し上げる。介護で大幅に遅延する原稿を最後まであきらめることなく、信じて待っていただいた。岸山さんがいなければまったく違ったものになっていただろう。本当にありがとうございました。

こうして多くの人たちに支えられて出版ができたが、誰よりも楽しみにしていたのは両親だったと思う。しかし、執筆中に父は旅立ち、残念ながら本書の完成を見せることはできなくなってしまった。だが、小樽の情景や両親とのエピソードには遺品整理や思い出話の中から蘇ったイメージが反映されており、父との最後の共同作業のような気持ちだ。支えてくれた妻・茜、妹・美恵子への感謝は言葉に言い尽くせない。本当にありがとう。色々な意味で、今回の執筆は私にとって大きな区切りとなった。

本書を、いつも見守ってくれていた父・勝、母・和子、兄・精一に捧げたい。

二〇二三年八月

久保　健治

参考文献

【はじめに】

瀧本哲史（二〇一一）『僕は君たちに武器を配りたい』講談社。

小林哲（二〇一六）『地域ブランディングの論理――食文化資源を活用した地域多様性の創出』有斐閣。

【第一章】

瀧本哲史（二〇一五）『戦略がすべて』新潮新書。

堀川三郎（二〇一八）『町並み保存運動の論理と帰結―小樽運河問題の社会学的分析』東京大学出版会。

豊島忠（一九八六）「都市経済の構造と課題」『都市問題』第77巻、第5号、東京市政調査会、六五―六七頁。

「小樽運河問題」を考える会編（一九八六）『小樽運河保存の運動　歴史篇』「小樽運河保存の運動」刊行会。堀川（二〇一八）にも所収。

村山研一（二〇〇六）「地域の価値はどのようして形成されるか」『地域ブランド研究』第2号、地域ブランド研究会、二九―五六頁。

北島滋（二〇一一）「観光研究の方法的展開に関する一考察―観光学の性格・対象・方法・枠組み・検証―」『作大論集』第1号、作新学院大学・作新学院大学女子短期大学部、一一三―一三一頁。


【第二章】


坂本誠（二〇一八）「地方創生政策が浮き彫りにした国―地方関係の現状と課題――「地方版総合戦略」の策定に関する市町村悉皆アンケート調査の結果をふまえて――」『自治総研』第474号、七六―一〇〇頁。

白井清兼ら（二〇〇九）白井清兼、西村崇、山本淳子、伊藤興一、加藤浩徳、城山英明「旧佐原市地区におけるまちづくり型観光政策の形成プロセスとその成立要因に関する分析」『社会技術研究論文集』第6号、社会技術研究会、九三―一〇六頁。

松崎憲三（二〇〇七）「「小京都」と「小江戸」――「うつし文化」の基礎的研究――」『日本常民文化紀要』第26号、成城大学大学院文学研究科、一―三四頁。

佐原アカデミア編（二〇二三）特定非営利活動法人佐原アカデミア編『小森孝一が語る 佐原山車祭りとまちおこしの35年』言叢社。

【第三章】
前掲、小林（二〇一六）
宮崎・岩田（二〇二〇）宮崎 裕二、岩田 賢編著、長崎秀俊他著『DMOのプレイス・ブランディング：観光デスティネーションのつくり方』学芸出版社。
帝国データバンク（二〇一五）「地方創生に対する企業の意識調査」https://www.tdb.co.jp/report/watching/press/p150105.html、二〇二三年三月五日閲覧確認。
Kotler et al.(2016) Kotler, P., Bowen, J., Makens, J. and Baloglu, S. *Marketing for Hospitality and Tourism*, Global Edition 7th, Pearson Education Limited.
久保健治（二〇二二）「ツーリズム研究概念の歴史的分析―ワハーブのデスティネーションマーケティング概念誕生とその意義について―」『日本国際観光学会論文集』第28号、日本国際観光学会、八三―八九頁。
Krippendorf, J. (1971), *Marketing et tourism*, Herbert Lang.
藤田尚希（二〇一六）「デスティネーション・マーケティングにおけるデスティネーション概念の検討」『地域デザイン』第8号、地域デザイン学会、九五―一一四頁。
Wahab et al. (1976) Wahab, S., Crampon, L. J. and Rothfield, L. M. *Tourism Marketing: A Destination-orientated Programme for the Marketing of International Tourism*, London: Tourism

International Press.

Pike and Page（2014）Pike, S. and Page, J. S. *Destination Marketing Organizations and destination marketing: A narrative analysis of the literature,* Tourism Management, 41, pp.202-227.

Leiper, N.（1979）, *The framework of tourism: Towards a definition of tourism, tourist, and the tourist industry,* Annals of Tourism Research, 6（4）, pp.390-407.

Gartrell, R. B.（1988）, *Destination Marketing for Convention and Visitor Bureaus,* 1st Edition, Dubuque, Iowa: Kendall/Hunt Publishing Company.

Wang and Pizam（2011）Wang, Y. C. and Pizam, A. *Destination Marketing and Management: Theories and Applications,* Wallingford, CABI Publishing.

Laws, E.（1995）, *Tourist Destination Management: Issues, Analysis, and Policies（Routledge Topics in Tourism）*, Routledge.

Ritchie and Crouch（2003）Ritchie, J. R. B. and Crouch, G. I. *The Competitive Destination: A Sustainable Tourism Perspective,* CABI Publishing.

前掲、村山（二〇一一）

Barney, J. B.（2002）, *Gaining and Sustaining Competitive Advantage,* Second Edition, Pearson Education Inc.【邦訳　ジェイ・B・バーニー著、岡田正大訳『企業戦略論【上】基本編―競

争優位の構築と持続―』ダイヤモンド社、二〇〇三年
中野・五木田（二〇一四）中野文彦、五木田玲子「観光資源の今日的価値基準の研究」『観光文化』第222号、日本交通公社、二〇―一八頁。
溝尾良隆（二〇〇九）『観光学全集　第1巻　観光学の基礎』原書房。
前掲、堀川（二〇一八）
JTB総合研究所（二〇一九）「『歴史的な建築物がある集落や町並み（重要伝統的建造物群保存地区）』での観光に関する調査」https://www.jtbcorp.jp/jp/newsroom/2019/06/20190531_souken.html、二〇二三年三月五日閲覧確認。

【第四章】
樋口直哉（二〇二三）「おいしいものには理由がある　番外編―第1回「プロのソーセージがおいしい理由」」http://www.delicioustime.net/770
※ただし、二〇二三年三月段階で運営元の事情で閲覧ができなくなっている。
わかしお（二〇一四）横芝光町商工会青年部広報誌「わかしお」平成二六年第1号。

【第五章】
佐藤尚之（二〇一八）『ファンベース――支持され、愛され、長く売れ続けるために』

ちくま新書。

【第六章】

前掲、小林（二〇一六）
Keller, K. L.(1998), *Strategic Brand Management*, Prentice-Hall Inc.【邦訳 ケビン・レーン・ケラー著、恩蔵直人、亀井昭宏訳『戦略的ブランド・マネジメント』東急エージェンシー出版部、二〇〇〇年】
前掲、Ritchie and Crouch（2003）
岩城ら（二〇二〇）岩城卓二、高木博志編『博物館と文化財の危機』人文書院。
光井渉（二〇二一）『日本の歴史的建造物 社寺・城郭・近代建築の保存と活用』中公新書。

【第七章】

内閣府（二〇二〇）「地域の経済２０１９ 第3章 健康と地域経済」（令和二年二月一四日公開）https://www5.cao.go.jp/j-j/cr/cr19/chr19_03.html、二〇二三年一月七日閲覧確認
山田浩之（一九九七）「英米におけるライフ・ヒストリー研究の系譜――社会学、教育社会学を中心にして――」『松山大学論集』第9巻（5）、一四一―一六一頁、松山大学学術研究会。
辻調理師専門学校（二〇一七）「ガストロノミーマニフェストに基づく食と周辺産業の連携によ

る、食分野における日本の国際的発信力強化」https://www.cao.go.jp/cool_japan/kaigi/kyoten_koutiku/5/pdf/san-siryou1-3.pdf、二〇二三年三月五日閲覧確認。

上田隆穂（二〇二〇）「美味しさを生み出す情報に関する研究枠組みの検討〜ガストロフィジックスの視点から〜」『學習院大學經濟論集』第178号、四一—五一頁、学習院大学経済学会。

アラン・デュカス（二〇一七）監督ジル・ドゥ・メストル、出演アラン・デュカス、映画『アラン・デュカス　宮廷のレストラン』

Heston, B. (2014), *Historic Heston Blumenthal*, Bloomsbury Pub Plc USA.

久保健治（二〇二〇）「観光地におけるガイドラインの戦略活用—兵庫県豊岡市における新型コロナウイルス感染症対策の事例研究—」『第35回　日本観光研究学会　全国大会　学術論文集』日本観光研究学会。

ダイヤモンド・オンライン（二〇二〇）二〇二〇年七月一七日「「Go To 直前」観光地のいま、外国人客ゼロになった城崎温泉の独自策」https://diamond.jp/articles/-/243324、二〇二三年三月五日閲覧確認。

神戸新聞但馬総局（二〇〇五）神戸新聞但馬総局編『城崎物語　改訂版』神戸新聞総合出版センター。

前掲、佐原アカデミア編（二〇二三）

リン・ハント（二〇一九）、長谷川貴彦訳『なぜ歴史を学ぶのか』岩波書店。

楠木・杉浦（二〇二〇）楠木建、杉浦泰『逆・タイムマシン経営論 近過去の歴史に学ぶ経営知』日経BP社。

佐原アカデミア（二〇一七）佐原アカデミア編『写真文集　佐原の大祭』言叢社。

中谷健太郎（二〇〇六）『新版　たすきがけの湯布院』ふきのとう書房。

野口智弘（二〇〇九）『虫庭の宿　溝口薫平聞き書き』西日本新聞社。後に、『由布院ものがたり――「玉の湯」溝口薫平に聞く』中公文庫（二〇一三年）として文庫化。

由布市（二〇二二）「由布市観光基本計画 二〇二二年二月」https://www.city.yufu.oita.jp/uploads/files/2022/07/r4kankoukihonkeikaku.pdf、二〇二三年三月五日閲覧確認。

馬部隆弘（二〇二〇）『椿井文書―日本最大級の偽文書』中公新書。

菅・北條（二〇一九）菅豊、北條勝貴『パブリック・ヒストリー入門――開かれた歴史学への挑戦』勉誠出版。

Gaddis, J. L. (2002), *The Landscape of History　How Historians Map the Past*, Oxford University Press Inc.【邦訳　ジョン・L・ギャディス著、浜林正夫、柴田知薫子訳『歴史の風景―歴史家はどのように過去を描くのか』大月書店、二〇〇四年】

【終章】

前掲、小林（二〇一六）

【おわりに】

マルク・ブロック（二〇〇四）、松村剛訳『新版　歴史のための弁明—歴史家の仕事』岩波書店。

図表作成　本島一宏
写真撮影　久保健治

本書は書き下ろしです。
本文中に登場する方々の肩書きおよび年齢は、いずれも取材ないし執筆時のものです。

久保健治（くぼ・けんじ）
1981年、東京都中野区生まれ。(株)ヒストリーデザイン代表取締役。武蔵野大学・神田外語大学兼任講師。NPO法人全日本ディベート連盟専務理事。データストラテジー(株) 研究員。創価大学大学院文学研究科人文学専攻博士後期課程単位取得満期退学。修士（歴史学）。当時の専攻は近代日本政治史、演説討論教育史。近代日本史料研究会、藤沢市史の史料編纂に従事した後、東京工業大学特任講師、ソーシャルメディアマーケティング会社を経て（株）ヒストリーデザインを設立。現在、大阪市立大学大学院経営学研究科博士後期課程にも在学し、経営学者でもある。専門は地域マーケティング論、経営戦略論、地域資源論。経営学者兼コンサルタントとして、観光分野を中心に歴史を活用した経営戦略の理論研究とビジネス実践を行っている。ライフワークとしてコミュニケーション教育にも従事。企業研修や国内及び東アジアで日本語ディベートの指導者育成にも携わっている。

ヒストリカル・ブランディング

脱(だつ)コモディティ化(か)の地域(ちいき)ブランド論(ろん)

久保健治(くぼけんじ)

2023年11月10日　初版発行

発行者　山下直久
発　行　株式会社KADOKAWA
〒102-8177　東京都千代田区富士見2-13-3
電話　0570-002-301(ナビダイヤル)
装 丁 者　緒方修一（ラーフイン・ワークショップ）
ロゴデザイン　good design company
オビデザイン　Zapp!　白金正之
印 刷 所　株式会社暁印刷
製 本 所　本間製本株式会社

角川新書
© Kenji Kubo 2023 Printed in Japan
ISBN978-4-04-082449-9 C0233

※本書の無断複製（コピー、スキャン、デジタル化等）並びに無断複製物の譲渡および配信は、著作権法上での例外を除き禁じられています。また、本書を代行業者等の第三者に依頼して複製する行為は、たとえ個人や家庭内での利用であっても一切認められておりません。
※定価はカバーに表示してあります。

●お問い合わせ
https://www.kadokawa.co.jp/（「お問い合わせ」へお進みください）
※内容によっては、お答えできない場合があります。
※サポートは日本国内のみとさせていただきます。
※Japanese text only

KADOKAWAの新書 好評既刊

箱根駅伝に魅せられて
生島 淳
正月の風物詩・箱根駅伝が100回大会を迎える。その歴史の中で数々の名勝負が生まれ、瀬古利彦、柏原竜二らスター選手、大八木弘明、原晋ら名監督を輩出してきた。45年以上追い続けてきた著者がその魅力を丹念に紐解く「読む箱根駅伝」。

核の復権
核共有、核拡散、原発ルネサンス
会川晴之
ロシアによる2014年のクリミア併合、そして22年のウクライナ侵攻以降、核軍縮の流れは逆転した。日本国内でも突然「核共有」という語が飛び交うようになっている。核報道をリードする専門記者が、核に振り回される世界を読み解く。

ヘイトクライムとは何か
連鎖する民族差別犯罪
鵜塚 健
後藤由耶
在日コリアンを狙った2件の放火事件を始め、脅威を増す「差別犯罪」が生まれる社会背景を最前線で取材を続ける記者が探る。更に関東大震災時の大量虐殺から現代のヘイトスピーチまで、連綿と続く民族差別の構造を解き明かすルポ。

ブラック支援
狙われるひきこもり
高橋 淳
中高年でひきこもり状態の人は60万人超と推計されている。行政の対応は緒に就いたばかりで、民間の支援業者もあるが玉石混交だ。暴力被害の訴えも相次いでいる。ひきこもり支援ビジネスの現場を追い、求められる支援のあり方を探る。

全検証 コロナ政策
明石順平
新型コロナウイルスの感染拡大で、私たちは未曾有の混乱に巻き込まれた。矢継ぎ早に政策が打ち立てられ、莫大な税金が投入されたが、効果はあったのか、なかったのか? 170点超の図表で隠された事実を明るみに出す前代未聞の書。

KADOKAWAの新書 ❦ 好評既刊

ラグビー質的観戦入門
廣瀬俊朗

プレーの「意味」を考えると、観戦はもっと面白くなる！　元日本代表主将がゲームの要点を一挙に紹介。「80分間を6分割して状況を分析」「ポジション別、選手の担うマルチタスク」ほか。理解のレベルがアップする永久保存版入門書。

公営競技史
競馬・競輪・オートレース・ボートレース
古林英一

世界に類をみない独自のギャンブル産業はいかに生まれ、存続したのか。その前史から高度経済成長・バブル期の爆発的な売上増大、社会問題を引き起こし、低迷期を経て再生するまでを、地域経済の観点から研究する第一人者が描く産業史。

定年後でも間に合うつみたて投資
横山光昭

「老後2000万円不足問題」が叫ばれて久しい。人生100年時代では、定年を迎えた人も資産寿命を延ばす方策が必要だ。余裕資金を活用した無理のない投資法を、資産形成のプロが丁寧に解説。24年スタートの新NISAに完全対応。

歴史と名将
海上自衛隊幹部学校講話集
山梨勝之進

昭和史研究者が名著と推してきた重要資料、復刊！　山梨はロンドン海軍軍縮条約の締結に尽力した条約派の筆頭で知られ、山本権兵衛にも仕えた、日本海軍創設期の記憶も引き継ぐ人物であり、戦後に海軍史や名将論を海自で講義した。

歴史・戦史・現代史
実証主義に依拠して
大木　毅

戦争の時代に理性を保ち続けるために――。俗説が蔓延していた戦史・軍事史の分野において、最新研究をもとに歴史修正主義へ反証してきた著者が「史実」との向き合い方を問うた珠玉の論考集。現代史との対話で見えてきたものとは。

KADOKAWAの新書 ❦ 好評既刊

サイレント国土買収
再エネ礼賛の罠
平野秀樹

脱炭素の美名の下、その開発を名目に外国資本による広大な土地の買収が進む。その範囲は、港湾、リゾート、農地、離島にも及び、安全保障上の要衝も次々に占有されている。この問題を追う研究者が、水面下で進む現状を網羅的に報告する。

知らないと恥をかく世界の大問題14
大衝突の時代――加速する分断
池上 彰

長引くウクライナ戦争。分断がさらに進んでいく。混沌とする世界はいったいどこへ向かうのか。世界のリーダーはどう動くのか。歴史的背景などを解説しながら世界のいまを池上彰が読み解く。人気新書シリーズ第14弾。

上手にほめる技術
齋藤 孝

「ほめる技術」の需要は高まる一方。ごくふつうのフレーズでも、使い方次第。日常的なフレーズ、四字熟語、やまと言葉に文豪の言葉。ほめる語彙を増やし技を身につければ、コミュニケーション力が上がり、人間関係もスムースに。

地形の思想史
原 武史

日本の一部にしか当てはまらないはずの知識を、私たちは国民全体の「常識」にしてしまっていないだろうか？ なぜ、上皇一家はある「岬」を訪ね続けたのか？ 等、7つの地形、風土をめぐり、不可視にされた日本の「歴史」を浮き彫りにする！

大谷翔平とベーブ・ルース
2人の偉業とメジャーの変遷
AKI猪瀬

ベーブ・ルース以来の二桁勝利＆二桁本塁打を104年ぶりに達成した大谷翔平。その偉業を日本屈指のMLBジャーナリストが徹底解剖。投打の変遷や最新トレンド、二刀流の未来を網羅した、今までにないメジャーリーグ史。

KADOKAWAの新書 好評既刊

少女ダダの日記
ポーランド一少女の戦争体験

ヴァンダ・プシヴィルスカ
米川和夫（訳）

第二次大戦期、ナチス・ドイツの占領下を生きる一人のポーランド人少女。明るくみずみずしく、ときに感傷的な日常に突如、暴力が襲う。さまざまな美名のもと、争いをやめられない私たちに少女が警告する。１９６５年刊行の名著を復刊。

70歳から楽になる
幸福と自由が実る老い方

アルボムッレ・スマナサーラ

70歳、仕事や社会生活の第一線から退き、家族関係や健康にも変化が訪れる時。仏教の教えをひもとけば、人生を明るく過ごす智慧がある。40年以上日本でスリランカ上座仏教を伝えてきた長老が自身も老境を迎えて著す老いのハンドブック。

塀の中のおばあさん
女性刑務所、刑罰とケアの狭間で

猪熊律子

女性受刑者における65歳以上の高齢受刑者の割合が急増中。彼女たちはなぜ塀の中へ来て、今、何を思うのか？　受刑者、刑務官の生々しい本音を収録。社会保障問題を追い続けるジャーナリストが超高齢社会の「塀の外」の課題と解決策に迫る。

日本アニメの革新
歴史の転換点となった変化の構造分析

氷川竜介

なぜ大ヒットを連発できるのか。『宇宙戦艦ヤマト』から新海誠監督作品まで、アニメ史に欠かせない作品を取り上げ、子ども向けの「テレビまんが」が、ティーンエイジャーや大人も魅了する「アニメ」へと進化した転換点を明らかにする。

サバービアの憂鬱
「郊外」の誕生とその爆発的発展の過程

大場正明

米国において郊外住宅地の生活が、ある時期に、国民感情と結びつくかたちで大きな発展を遂げ、明確なイメージを持って定着するようになった——。古書価格が高騰していた「郊外論」の先駆的名著が30年ぶりに復刊！

KADOKAWAの新書 ❦ 好評既刊

精神医療の現実
岩波 明

トラウマ、PTSD、発達障害、フロイトの呪縛——医学や治療の現場では、いま何が起こっているのか。多くの事例や歴史背景を交えつつ、現役精神科医がその誤解と偏見、理想と現実、医師と患者をめぐる内外の諸問題を直言する。

増税地獄
増負担時代を生き抜く経済学
森永卓郎

さらなる増税地獄がやってくる——。いまの政府が目指しているのは、国民全員が死ぬまで働き続けて、税金と社会保険料を支払い続ける納税マシンになる社会だ。我々は、暮らしの発想の転換を急がなくてはならない！

決定版「任せ方」の教科書
部下を持ったら必ず読む「究極のリーダー論」
出口治明

リーダーに必須の「任せ方」、そして「権限の感覚」とは。人間の能力の限界、歴史・古典の叡智、グローバル基準を出発点に、マネジメントの原理原則を解説。60歳で起業、70歳で大学学長に就いた著者が、多様な人材を率いる要諦を示す。

ヴィーガン探訪
肉も魚もハチミツも食べない生き方
森 映子

肉や魚、卵やハチミツまで、動物性食品を食べない人々「ヴィーガン」。一見、極端な行動の背景とは？　実験動物や畜産動物の問題を追い続けてきた非ヴィーガンの著者が、多くの当事者や企業、研究者に直接取材。知られざる生き方を明らかにする。

テキヤの掟
祭りを担った文化、組織、慣習
廣末 登

商売の原初の形態といえるテキヤの露店は、消滅の危機にある。縁日を支える人たちはどのように商売をし、どう生活しているのか？　テキヤ経験を有す研究者が、縁日の裏面史を浮き彫りにする！　貴重なテキヤ社会と裏社会の隠語集も掲載。